MEMORY

本多孝好

集英社文庫

CONTENTS

ACT.1 言えない言葉 〜the words in a capsule 7

ACT.2 君といた 〜stand by you 63

ACT.3 サークル 〜a circle 107

ACT.4 風の名残 〜a ghost writer 163

ACT.5 時をつなぐ 〜memory 209

MEMORY

ACT.1

言えない言葉

〜 the words in a capsule

シニガミガリ。

それが何なのか、ボクにはわからなかった。

シニガミガリ？

陽《よう》ちゃんも、ショウくんも、アキオくんもわかっているみたいだ。だけど、ボクだけがわからない。ボクは必死に考えた。

新しい遊びかな。カードゲーム？　それともゲームソフト？　いや、どっちもちがうだろう。陽ちゃんはゲームが嫌いだ。というより、じっとしているのが苦手だ。遊ぶときはサッカーをしたり、自転車でどこかに行ったりすることが多い。だから、きっとゲームじゃない。でも、それじゃ何なのか、ボクにはさっぱりわからなかった。陽ちゃんのほうから声をかけてくれたのは、すごく久しぶりだった。だから聞き返すのは悪いような気もしたけれど、ここで聞き返さないと、仲間外れにされたまま、もう二度と声をかけてくれないような気がして、ボクはおずおずと陽ちゃんに聞き返した。

「シニガミガリって、何？」

陽ちゃんはじろりとボクをにらんだ。

「シニガミガリは、だから、シニガミガリだよ」

何の説明にもなっていない答えに、ボクは少し悲しくなった。陽ちゃんは、前はこんな風に、いじわるな言い方はしなかった。けれど、小学校四年生に上がると、陽ちゃんは急にアキオくんやショウくんとばかり遊ぶようになり、ボクにはこんな風にいじわるなしゃべり方をするようになった。

シニガミガリ、とボクはまた考えた。

わからない言葉でも、ずっと話している中でぽろっと出てきたのだったら、それがどんな意味なのか、想像することができたと思う。だけど、今日、学校から帰ってきたボクが、家の前の道で一人でリフティングをしていると、陽ちゃんが、アキオくんとショウくんを連れてやってきて、いきなり言ったのだ。

「シニガミガリするぞ。純《じゅん》も入れてやる」

ボクが一人でリフティングをしていたのは、陽ちゃんたちがサッカーに入れてくれなくなったからだ。何度か入れてくれるように、たのんでみたけれど、ショウくんやアキオくんに断られた。陽ちゃんもボクの味方にはなってくれなかった。ボクはサッカーをしてくれる友だちがいなくなってしまった。だから四年生に上がって、リフティングはすごく上手になった。

「どうすんだよ」と陽ちゃんが言った。

「ヨーヘー、こいつ、ビビってんだよ」とショウくんが笑いながら言った。「シニガミガリって言っても、相手は人間だから。そんなビビんなよ。お前にシニガミをカレルなんて思ってないよ」

ショウくんが何回も言ってくれたおかげで、ボクにもようやくわかった。『シニガミガリ』とは、たぶん『死神狩り』ということなのだ。

でも、死神狩りって、何？

ボクがその意味を聞こうとしたとき、アキオくんがショウくんに聞いていた。

「でも、ふつうの人間じゃないんだろ？」

答えたのは陽ちゃんだった。

「うん。ちがう。死神。あれは、死神。人間だけど、死神」

陽ちゃんはものすごくマジメな顔をしていた。

「兄ちゃんがそう言ってた」と陽ちゃんはつけ足した。

陽ちゃんの兄ちゃんは、優《ゆう》ちゃんといって中学一年だ。小さいころは、ボクも陽ちゃんといっしょによく遊んでもらった。アキオくんやショウくんよりずっと大きな陽ちゃんよりも、優ちゃんはさらにもっとずっと大きい。小学校六年生のとき、優ちゃんは学校の生徒の中で一番背が高くて、一番体重が重かった。ものすごくケンカが強いとも言われていた。実際に優ちゃんがケンカをするところは見たことないけれど、あれだけ大きい優ちゃんが本気で暴れたら、大人だってすぐには止めることはできないと思う。その優ちゃんが『死神』と言うのだったら、それはものすごくものすごい人なのだろう。

「その死神みたいな人を狩るの？　狩るっていうのは、やっつけるってこと？　ボクたちだけで？」とびっくりしてボクは言った。

「チゲーよ」とアキオくんが言った。「だから、人間だけど死神なんだよ。その死神をやっつけるんだよ」

どうやら、死神みたいに強い人、ということじゃないみたいだった。

「死神をやっつけるって、どうやるの？」とボクはアキオくんに聞いた。

「やっつけるっていうのは、だからさ」

アキオくんは困ったような顔になって、少し考えた。

「殺すんだよ」と陽ちゃんが言った。

「殺すの？」とボクは言った。「だって、人間なんでしょ？　人間だけど死神ってことは、死神だけど人間ってことでしょ？　それなのに、殺すの？　けいさつにつかまっちゃうよ」

「純。二組の田丸《たまる》って知ってるだろ？」

陽ちゃんが言った。ボクはうなずいた。

「タマちゃんなら、前に同じクラスだったよ。一年と二年のとき」

「仲もよかったよな？」

「うん。今だって悪くはないよ。クラスがちがっちゃったから、あんまり遊ばなくなったけど」

よし、と陽ちゃんがうなずいた。

「あいつのお父さん、けい察官だ。だから、きっとうまくやってくれる」

うん、と陽ちゃんはもう一度、力強くうなずいた。陽ちゃんは、ボクがそうすると思っているみたいだったし、できることならボクだって陽ちゃんの望み通りうなずき返してあげたかったけれど、何をうなずき返せばいいのかわからなかった。

「きっとうまくやってくれるって、何をやってくれるの？　けい察官だから、死神をタイジしてくれるってこと？」

「そうじゃねえよ」とアキオくんは言った。「死神だから、けい察官だってタイジできねえよ。でも、死神をやっつけたときに、死神が人間になって、人間が死んじゃってても、きっとタイホしたりしねえってことだよ。きっと見のがしてくれるよ」

アキオくんが何を言っているのか、さっぱりわからなかった。ボクはもう一度、アキオくんの言葉を頭の中でくり返してみた。

死神だから、けい察官でもタイジできない。そこはわかる。死神には、きっとピストルのタマだって当たらない。だって死神だ。で、死神をやっつけたときに、死神が人間になって、というのはどういうことだろう。戦っているときは、死神だったのに、やっつけたら、シュワワーッと、けむりみたいなのが出て、人間にもどるということかな。死神なら、そういうこともあるかもしれない。ああ、だから、人間が死んじゃってても、ということになるのか。

「でも、え？」とボクは言った。「本当の本当に殺すの？」

「だから、田丸の友だちのお前を仲間に入れるんだよ」とアキオくんが言った。「オレたちだけじゃタイホされちゃうだろ？」

「だって、だって、死神でしょ？」とボクは言った。

「だから、大じょうぶだよ。本物の死神じゃないから」とショウくんが言った。

「え？　本物の死神だろ？」とアキオくんが言った。

「本物の死神だよ」と陽ちゃんが言った。「人間だけど、本物の死神」

何だかよくわからなかった。けれど、何だかよくわかってないのはどうやらボクだけではなさそうだということはよくわかった。これ以上、話の先を追っかけていくと、本当にわけがわからなくなりそうだったので、ボクは話を前にもどした。

「それで、死神狩りって何をするの？」

どこからどう見ても人間だった。足だってふつうにある。大きな歩はばで、ぐいぐいと商店街を進んでいく。影だってふつうにできている。ぐいぐいと歩くその人のとなりで、その人の影もぐいぐいと歩いている。電器屋さんのガラスには、歩くその人が映ってもいる。黒いマントをはおって、大きなカマをかついでいたりもしない。ボクも知っているムカ中の制服を着ていた。クロネコを連れていたりもしない。前からポテポテと歩いてきた小太りの白いネコはその人の姿を見つけると、うれしそうに走り寄って、足元にじゃれついていた。ちょっと迷わくそうな表情をしたけれど、その人はしゃがみこんで、白いネコのアゴをぐりぐりしてやっていた。ネコは、幸せですぅ、すっごい幸せですぅという感じで目を細めた。やがて、ネコの頭をぽんとたたいてまた商店街を歩き出したその人は、一けんの店の中に入っていった。

駅前の小さな広場からお店まで、ずっとその人のあとをつけてきたボクたちは、道の反対側にある電柱の後ろにかくれた。死神がどんなのかは知らなかったけれど、その人はボクが想像するありとあらゆる死神とちがっていた。

どうしてあの人が死神なの？

ふり返って、そう聞こうと思ったけれど、アキオくんと陽ちゃんは、ほら、とか、やっぱりな、とか言い合っていた。

「マジこえー」

そう言ったアキオくんに、ボクは聞いた。

「どこが？」

「だって、マジで死神だったじゃねえか」

その人が死神である理由がボクには見つけられなかった。けれど、アキオくんは見つけたようだ。本気でこわがっていた。

「あの人が死神だって、どうしてわかるの？」とボクは聞いた。

アキオくんと陽ちゃんが顔を見合わせた。

「どうしてって、だって、純。あいつ、あそこに入っていったんだぞ」と陽ちゃんが言った。

ボクは陽ちゃんが指差すほうを見た。

『森野《もりの》葬儀店』

『葬儀店』というのは、おそう式屋さんだ。たしかに、ふつうの中学生は学校帰りにおそう式屋さんに入っていったりはしないだろう。だけど……

「あそこが自分の家なんじゃない？」

一階がおそう式屋さんで、二階が家になっているんだと思う。二階の窓が開いていて、そこから入った風が、部屋の中に干してあるTシャツとかズボンとかをゆらゆらとゆらしていたのが見えた。

「あそこが家ってことは、死神ってことだろ？」

アキオくんはマジメな顔で言っていた。そのとなりで陽ちゃんが、そうだよ、そうだよ、とうなずいている。ボクは困ってショウくんを見た。ショウくんはうでを組んで考えこんでいた。

「いや、死神じゃないかもしれない」とものすごく考えたあと、ショウくんは言った。

「死神じゃなくて、死神にとりつかれているだけかもしれない」

「とりつかれてるって？」とアキオくんが聞いた。

「あの人の背中にぴとっと死神がくっついてるんだよ、目には見えないけど」

こえー、マジこえー、とアキオくんが言った。

ボクはそっとため息をついた。

アキオくんは、これが正しい道だと思っている。陽ちゃんは、みんなが歩いているんだから、間ちがっているはずがないと思っている。ショウくんは、ひょっとしたら間ちがえたのかもしれないけど、間ちがっていないかもしれないから、とりあえず進んでみようと思っている。そしてボクは、とっくに絶対に道を間ちがえていると思っていた。

たぶん、とちゅうで間ちがえたのじゃなくて、最初から間ちがえていたのだ。

「ねえ、でも、どうしてあの人が死神だっていうことになったの？　それを最初に言ったの、だれ?」

「だから、兄ちゃんだよ」と陽ちゃんが言った。「兄ちゃんが、あいつは死神だって言ってたんだよ」

優ちゃんか、とボクは思った。優ちゃんはそういう悪口を言う人じゃない。特に女の子の悪口は絶対に言ったりしない。優ちゃんがあの人のことを死神と言ったのなら、それはきっと悪口じゃないと思う。どうして優ちゃんはそんなことを言ったのだろう?

「じゃ、優ちゃんに聞いておいてよ。どうしてあの人が死神なのか」

「いいよ」と陽ちゃんはちょっとムッとしたように言った。「聞いておいてやるよ」

「あ、ウソだと思ってるんじゃなくてさ」

優ちゃんを悪く言うつもりはなかったので、ボクは言った。

「あの人は死神なのかもしれないけど、どうしてそれがわかったのか知りたいんだ。そういうのがわかれば、死神をやっつける方法もわかるかもしれないと思うんだけど……」

そこまで言って、アキオくんがぽかーんとボクを見ているのに気がついた。ショウくんも同じ顔でボクを見ていた。陽ちゃんも同じ顔をして、それからボクを指差した。いや、ちがった。陽ちゃんが指差したのはボクの後ろで、みんなが見ていたのもボクの後ろだった。

首の後ろがぞわりとした。

ボクはふり返った。

死神がいた。

「だれが死神だって？」

ものすごく冷たい声だった。ものすごく冷たい目をしていた。怒った大人の人に、ぶんなぐるぞ、とどなられても、これほどこわくはなかっただろう。

ふぇっという変な声が出た。自分でも何が言いたくてそんな声が出たのかわからなかった。ひゃ、ひゃしれ、という陽ちゃんの声が聞こえた。何を言ったのかわからなくてふり返った。みんながもうボクに背を向けていた。それで、走れと言ったのだと、ボクにもわかった。ああ、走らなきゃ。走ってにげなきゃ。そう思うのと同時に、体が前にかたむいた。前のめりになった体をささえるために、右足が最初の一歩目をふみ出そうとしたそのとき、ぐっとノドがつまった。

「おい、こら。何でもいいけど、最後まで事情を説明しろ」

死神がボクのパーカーのフードをつかんでいた。ボクは必死にうなずいた。

「うん。ほら、話せ」

ボクは死神の手をたたいた。

「ぎゃなすから、ぎゃなしてふださい」

ボクは死神に引きずられるように店の中に連れていかれた。店には男の人が一人と女の人が一人いた。男の人はボクの父さんと同じくらいで、女の人はそれより少し上みたいだった。店の中に入ると、ようやく死神はボクのパーカーから手をはなしてくれた。

「何です?」とボクを見て、男の人が言った。

「私の客だよ」

店をまっすぐにつっ切りながら死神が言った。

「あらあら、かわいいお客さんね」と女の人が言った。

それはムシして、死神は店の奥でクツをぬぐと、すぐ先にあった、せまくて急な階だんに足をかけた。そこで思い出したようにボクをふり返る。

「上がれ」

上から見下ろされると、冷たい上にするどい目つきに見える。ボクはあわててクツをぬいで家に上がり、死神の後ろからせまくて急な階だんをのぼった。階だんの上は台所だった。台所をつっ切ると、食事用のテーブルが置かれた部屋につながっていて、その部屋の向こうにろう下があり、左手とつき当たりに一つずつ部屋があった。

死神が奥の部屋の戸を開けた。表の通りから見えていたそこが死神の部屋らしい。勉強机とベッドがあった。Tシャツとジーパンがハンガーでつるしてあった。ハンガーを取って、死神はベッドの上に放り、自分は勉強机の前のイスにこしを下ろした。そっと窓から外の様子をうかがってみたけれど、しんとした商店街に、陽ちゃんたちの姿はなかった。

「座れよ」

死神がそう言うので、ボクは仕方なく茶色のじゅうたんの上に座った。正座をするとものすごいえらい人にしかられているみたいだったし、あぐらをかくとえらそうだとしかられそうだったので、ボクは体の前でひざをかかえた。

「入るわよ」

ノックの音がして、さっき下にいた女の人が部屋に入ってきた。ボクにコップを手渡し、死神の前にもコップを置く。

「ごめんね。ジュース切らしてて、むぎ茶しかないの」

女の人がにっこりとほほえみながらボクに言った。

「ああ、あんがと」と死神が言った。

その言い方からすると、女の人は死神のお母さんかもしれないとボクは考えた。

「そんなところに座らないで、こっちにきたら？」

女の人はベッドの上に放ってあったTシャツとジーンズを取って、ボクに言った。ボクは死神を見た。死神はボクと目を合わせなかった。

「あ、いや、いいです。ここで」とボクは女の人に言った。

「そうなの？」

女の人は、じゃあね、とほほえむと、Tシャツとジーンズを持って部屋を出ていった。

「それで」とボクに目をもどして、死神は言った。「小学生が四人して、駅からうちまで私をビコウしてきたのは、いったいどういうわけだ？」

ボクはうつむいた。答えたくなかったんじゃなくて、答えられなかったのだ。ボクたちは何をしていたのか。そう聞かれてみると、何をしていたのか、ボクにもよくわからなかった。

「おい」

死神が言った。ボクはびくっとして顔を上げた。死神がアゴをつき出した。

「飲めよ」

ボクはむぎ茶の入ったコップを見て、死神の顔を見た。死神がうなずいて、ボクはまたコップを見た。これは本当にむぎ茶なのかな？

「あ、はい。あ、でも、ノド、かわいてないんです」

「そうか」と死神は言った。

「はい」とボクはうなずいた。

「それで？」

「あ、はい」とボクは顔を上げた。

「死神ってのは、私のことか？」

「あ、はい」とボクはうなずいた。

ぶしゅっという変な音が聞こえた。ボクは顔を上げた。死神が鼻をこすっていた。どうやら笑ったのをごまかしたみたいだった。

「そうぎ屋の娘だから死神か。いいね、そのタンラクテキシコウ。小学生らしくて愛らしいよ」と死神は言った。

「あ、はあ」とボクはうなずいた。

「で、その死神に何の用だ？」

「あ、用とかじゃなくて、タイジっていうか、いや、やっつけにって」

「やっつける？」

「あ、いえ、やっつけるって、そうじゃなくて」とボクは口ごもった。「ごめんなさい」

「今日のことは、まあ、いいとしよう」と死神は言った。「で、先週、石を投げたのは、あんたか？」

死神の言った言葉の意味が、ボクにはよくわからなかった。ボクはしばらく考えた。あまり覚えてはいないけれど、先週、一度くらいは、どこかで石を投げたかもしれない。

でも、たぶん、死神が聞いているのはそういうことではないだろう。

「石って何ですか？」とボクは聞いた。

くるっとイスを回した死神は、勉強机の上にあったものを手にして、またくるっとイスをもどすと、ボクにそれを放り投げた。ぱしんとボクは受け取めた。小石というよりは少し大きい。ちょうど投げやすそうな大きさの石だった。

「え？」とボクは言った。「この石が、え？」

死神はボクの顔をしばらく見て、それから立ち上がり、ついてこいというように、指をクイクイと曲げて、部屋を出た。ボクは立ち上がって、石を机の上にもどすと、死神のあとを追った。ろう下をもどって、台所を通りすぎて、せまくて急な階だんを下りた死神は、さっきクツをぬいだところで立ち止まり、またアゴをつき出した。つき出した方向は、ボクらが入ってきた入り口だった。引きちがいになる入り口のガラス戸のうち、一枚のすみっこにダンボールが当ててあった。

「先週の木曜日。夕方の四時ごろだったかな。がしゃんていう音がした。私はさっきの、自分の部屋にいた。窓から外を見たんだけど、もう、にげたあとだったんだろう。だれもいなかった。下にきてみると、店のあのガラス戸にヒビが入っていた。店のすぐ前にさっきの石が転がっていた」

それで、あの石を投げたのがボクなのか、聞いたのだろう。

　そう考えて、ボクは首をぶんぶんと横にふった。死神がじっとボクを見ているので、さらにぶぃんぶぃんとふった。

「じゃ、さっきのだれかか？」

　ぶぃんと首を右にふり、左に返す前に、ボクは首を止めた。まさかそんなことはしないとは思うけれど、絶対にしてないとは言い切れなかった。

「連れてこい」と死神は言った。

「え？」とボクは聞き返した。

　死神は人差し指をのばして、下を指した。

「ここに、その石を投げたやつを連れてこい」

「でも、ボクの友だちって決まったわけじゃ……」

「関係ない」

「え？」

「石を投げたのがあんたの友だちなら、その友だちをここに連れてこい。石を投げたのがあんたの友だちじゃないなら、あんたの友だちじゃないそいつをここに連れてこい。三日やる。三日でできなかったら」

　死神はボクにおおいかぶさるようにぐわっと体を乗り出してきて、ささやいた。

「あんたを呪う」

あう、と変な声しか出せなかった。

「本気だぞ」と死神は言った。「わかるか？　私は本気だ」

こくんとボクはうなずいた。そうすることしかできなかった。この人に呪われたら、本物の死神に呪われるよりずっと悪いことが起きそうな気がした。

「行け」と死神は言った。

クツをはこうとしたけれど、うまくははけなかった。かかとの部分をふんづけたまま、店の出口に向かって歩き出す。

「三日だ」

足を止めて、ふり返った。うで組みをした死神がボクを見ていた。ミイラレル、というのは、こういうことを言うのだろう。ボクは死神の光る目から目をはなせなかった。

「あら、もう帰るの？」

女の人の声がして、ボクはどうにかそちらをふり返った。

「あ、はい」

ぎこちなく笑って、ぎくしゃくと歩き出す。後ろから男の人と女の人が何か声をかけてくれたみたいだったけれど、ボクの耳には入らなかった。店を出て、商店街の左右を見てみた。いてくれたらいいなと思ったのだけれど、やっぱり陽ちゃんたちはいなかった。ボクは見すてられたのだ。ボクはとぼとぼと商店街を歩き出した。家に帰るなら、駅のほうへ行かなければいけないのだけれど、家に帰る気分でもなかったので、駅とは逆のほうへ歩いた。しばらく歩いたところで、足を止めた。三日、と考えて、ボクはため息をついた。どうしていいのか、さっぱりわからなかった。ボクがもう一度、ため息をついたときだ。

「どうしたの？」と声をかけられた。

ボクは顔を上げた。ムカ中の制服を着た男の人が向こうから歩いてくるところだった。うまく説明なんてできなかった。知らない男の人と話す元気もなかった。そのまま行きすぎてくれればいいと思って、ボクは男の人の声が耳に入らなかったみたいな感じで目をそらした。自分が文ぼう具屋さんの前に立っていたことにそのとき気づいた。店の前にはガチャガチャがあった。上からむぎゅっと押しつぶされたみたいな形のウルトラ兄弟のどれかが出てくるらしかった。

ボクの前までやってきたお兄さんは、そのまま通りすぎてはくれなかった。

「あ、出てこなかったの？」

何のことか、わからなかった。ボクがお兄さんに顔を向けるより前に、お兄さんはぽかんとガチャガチャをけ飛ばしていた。ボクがびっくりしていると、お兄さんはもう一度ぽかんとけ飛ばして、カプセルが出てくる口をのぞきこんだ。

「あれ？　いつもなら、け飛ばすと出てくるんだけどな」

お兄さんはもう一度足をふり上げた。ボクが止める前に、文ぼう具屋さんのガラス戸ががらりと開いて、おじさんが出てきた。

「何をしてるんです?」

文ぼう具屋のおじさんがお兄さんに言った。ふり上げて止めた足は、もちろんもどすだろう、とボクは思ったのだけれど、お兄さんはもう一度ぼかんとガチャガチャをけ飛ばした。がしゃんとはね上がったガチャガチャを見て、文ぼう具屋のおじさんは、それで? と聞くみたいな顔でまたお兄さんを見た。

「ほらね。出てこないんだ」

お兄さんはガチャガチャを指して言った。

「け飛ばして出てくるものではないです。お金を入れて、ダイヤルを回すと出てくるんです」

「お金を入れて、ダイヤルを回しても出てこないときは、け飛ばすと出てくる」

「前にも経験があるんですね?」

「何度もあるよ」

「だったら、なぜ、そのときに言わないんです? 何度もけ飛ばして、こわれてしまったんではないですか? もうけ飛ばしても出てこないくらいに」

「そうなのかなあ」

お兄さんはガチャガチャの上に手を置いて、どこがこわれているのかを見つけようとするように、あちらこちらからながめた。一度、店の中に入ったおじさんは、すぐにもどってきた。カギたばを手にしている。

「どれがほしいですか？」

カギでガチャガチャの上のふたを開けたおじさんは、ボクに向かって聞いた。

「あの、え？」とボクは言った。

「どれでもほしいものを差し上げます。それとも、お金をもどしたほうがいいですか？」

「これはタロウで、これがセブン。これ、初代かな」

お兄さんはふたの開いたガチャガチャからカプセルを一つ一つ取り出し、中をすかして見ながら、ボクに手渡した。

「あの、いえ、いりません」

「どうして？」とお兄さんが聞いた。

おじさんも不思議そうにボクを見た。ボクに言わせれば、そんなのをボクがほしがると思っているお兄さんやおじさんのほうがどうかしている。ボクは渡されたカプセルをお兄さんにつき出した。

「いらないですから」

「最近のやつはないみたいだけど」

ボクがちがうのをほしがっていると思ったらしい。ボクがつき出したカプセルを受け取って、お兄さんが言った。

「どれも、いらないです」とボクは言った。

「だって、それじゃ、どうしてお金を入れたの？」とお兄さんが言った。

「いいえ、だって、お金、入れてないです」

「え？　お金、入れてないの？　だって、それじゃ、出てくるわけないよね？」

「ないです」とボクはうなずいた。

ずいと近寄ってきたお兄さんは、ボクの肩に手を置くと、ボクの前にしゃがんだ。お兄さんの目とボクの目の高さが同じになる。お兄さんは悲しそうな目をしていた。

「ねえ、君。お金を入れないで、中身を取ろうとしたなら、それはドロボウと同じだよ。君にしてみれば、ほんのいたずらのつもりだったかもしれないけど、それはよくないことだよ。やってはいけないことだ」

ボクは口をぱくぱくさせた。言いたいことをどう言っていいのかわからなかった。

「でも、だって」とボクはガチャガチャを指差して言い、それから、おじさんを見て、お兄さんを指差した。「何も言ってないのに、ぼかんて。そんなの、だって、そこに立ってただけで……」

おじさんは深くうなずいて、ボクに手のひらを向け、お兄さんに言った。

「私が見たのは、君が足をふり上げて、今まさにカプセルトイ販売機をけろうとしたところからなのですが、君がしたことには、もちろん、カッコとしたコンキョがあったんでしょうね？」

「カッコとしたコンキョって」

お兄さんはおじさんに言い、それからボクを見て、しばらく考えてから、次に空を見て、またしばらく考えて、またおじさんを見て、最後に「あれ？」と首を横にたおした。

「あれ、じゃないですよ」とおじさんはうで組みをして言った。「小さいころから、どうして君はそうそそっかしいのでしょうね」

「いや、え？　だって、君、ガチャガチャが出てこなかったんじゃ、ええ？　ちがったの？　だって、困ってるみたいな顔で、そこに立ってたよね？」

「それだけのコンキョですか？」とおじさんががくんと肩を落として、言った。「困ってるみたいな顔でこの子がそこに立っていたから、販売機をけ飛ばしたのですか？　何度もと言っていましたが、その何度ものうち、カッコたるコンキョがあったのは、何度くらいです？」

「ああ、いやあ」と言ってお兄さんはまた空を見上げ、あははと笑った。「どうだったかなあ。コンキョはあったつもりだったけど、それも今となっては、ねえ？」

「ねえ、じゃないですよ」とおじさんは言った。

「いや、でもさ、そそっかしいのは、オフクロゆずりだから。で、そのそそっかしいオフクロと結こんしちゃって、子供まで作っちゃったのはオヤジのわけだから、オヤジだってそそっかしいんでしょ。そそっかしい両親から生まれた息子がそそっかしいからって、そりゃ両親は怒っちゃダメでしょ」

まったくねえ、とおじさんはため息をついて、首をふった。

「そういうヘリクツをこねている君を見るたびに、ええ、君は私の息子なんだとつくづく思いますよ」

「そう、そう。まあ、そういうことで、これからも一つ、よろしく」

「これは、どうも、ごていねいに」

二人は頭を下げ合った。

「ああ、君には悪いことをしましたね。つまらないことに付き合わせちゃいました」

おじさんが言って、お兄さんが手にしていたカプセルを三つとも取ると、ボクに差し出した。

「これ、よかったら、どうぞ」

ボクは別にウルトラマンなんてほしくなかった。だれかにあげてもいいと思ったけれど、陽ちゃんやショウくんやアキオくんだって、こんなの、ほしがらないだろう。小学校四年生も終わりに近づき、もうじきみんな五年生だ。そんな年になって、こんなのをほしがる子なんていない。けれどおじさんにそう言うのも悪いような気がして、ボクはカプセルを受け取っておいた。

「ありがとうございます」とボクは言った。

「ああ、カプセルはそこのカゴに入れてください。そこらに放られると、苦情がくるものですから」

今、開けるつもりはなかったのだけれど、そうしなければならないみたいだったので、ボクは三つのカプセルを開けて、中のウルトラマンたちを取り出すことにした。少しくらい喜んだふりをしたほうがいいのかもしれないと思ったけれど、さすがにそこまではできなかった。

「ああ、これ、セブンだ」とか一人でぶつぶつ言いながら、ボクは開けにくいカプセルを開けていった。

「苦情って、だれから？」

カプセルを開けるボクを横目で見ながら、お兄さんが聞いた。

「メガネ屋です。先週、店の前に割れたカプセルのハヘンがサンランしていたらしいです」

『森野葬儀店』のとなりが、メガネ屋さんだった。そんなことを考えながら、ボクは三つ目のカプセルを開け、ああ、初代だ、初代、とつぶやいてみた。

「メガネ屋の兄ちゃんは、あれ？　もう大学卒業したっけ？」

「まだじゃないですか？」

ボクは三つのカプセルを言われたカゴの中に入れた。それを確認して、すみませんでしたね、と言って、おじさんが店の中へともどっていった。いっしょに店の中にもどりかけて、お兄さんが「ああ、そうだ」と足を止めた。

「君は、ええっと、それじゃ、さっき、どうしたの？」

「あ、え？」

「おなかでも痛かった？」

「いえ。大じょうぶです」

「大じょうぶ、ねえ」とつぶやいたお兄さんが近づいてきて、ひょいっと体を曲げた。またお兄さんの目とボクの目が同じ高さになる。お兄さんは今度は楽しそうな目をしていた。

「話してみない？」とお兄さんは言った。

大じょうぶです、ともう一度言ったら、さすがに、お兄さんも店にもどってしまうだろう。このお兄さんが助けてくれるかどうかはわからなかったけれど、ボク一人ではどうしようもなかったし、助けてくれそうな人がほかにだれもいないのは確かだった。

「聞いて、くれますか？」

ボクが言うと、お兄さんはくしゃっと笑った。

「おいで」

ボクはお兄さんについて文ぼう具屋さんの中に入った。

『カンダ文具店』も、中は『森野葬儀店』と同じような感じだった。店の奥にレジがあって、そのレジのさらに奥にクツをぬぐところがあって、クツをぬいですぐのところにせまくて急な階だんがあった。階だんを上がるとやっぱり台所で、その向こうにはテーブルのある部屋があって、その先にろう下があって、その奥がお兄さんの部屋だった。

ボクを部屋に入れたお兄さんは、ボクに机の前のイスに座るように言った。

「何か飲む？」とお兄さんは言った。「あ、でも、ジュースはどうだったかな……何かあったかな」

「いらないです」とボクは首をふった。

「あ、確かヤクルトならあったけど、飲まない？」

「いいです。ノド、かわいてないです」

「そう？」

お兄さんがベッドに座った。

「それで、どうした？　何があったの？」

ボクはこれまでのことを、なるべく起こった順番通りに、お兄さんに話して聞かせた。ボクにしてみれば笑い事ではないのだけれど、お兄さんは時々クスクスと笑いながらボクの話を聞いていた。

「いつもはそんなにひどいことは言わないんだけど」

ボクが話し終えると、お兄さんは言った。

「ちょっとキゲンが悪かったんだと思う。森野、ああ、その死神、森野っていうんだけど、最近、学校でもめてね」

「え？」

「ボクは森野と中学がいっしょなんだ。っていうか、これだけ近所だと、小学校からずっと同級生だけどね。ボクも森野もムカ中の三年」

「ああ、はい。制服がそうですよね」とボクは言った。

「君も？」

「学区はムカ中です」とボクはうなずき、聞いた。「あの、それで、学校でもめたって？」

「ああ。先生を階だんからつき飛ばしたらしい」と言って、お兄さんは暗い表情になった。「何があったのかはよくわからない。聞いても教えてくれないし」

先生を階だんからつき飛ばした。意味はすぐにわかったけれど、とんでもなさすぎて、光景が頭に浮かぶまでにかなり時間がかかった。

階だんの上。死神が目を光らせ、にたりと笑っている。階だんを下りようとしている先生の背後に音もなくスス－ッとしのび寄り、背中を両手でぐいっとつき飛ばす。ぐるぐるとうでを回した先生が、バランスをくずして階だんを転げ落ちていく。

「きびしい先生だったんですか？」

きびしい先生にたたかれて、思わずやり返した。せめてそう考えなければ、こわすぎる。そう思ってボクは聞いたのだけれど、お兄さんは首を横にふった。

「いや。そんなことはない。人気のある先生だよ。特に女子生徒からはね。おだやかで、自信たっぷりで、顔もいいし、背も高いし、まあ、女子から人気があるのもわかるけどね」とお兄さんは言った。「でも、ボクはあまり好きじゃない。ジョークみたいな言い方で、その実、人の痛がるところをえぐってくるような、そういう人なんだ。学校って、ガラパゴスショトウみたいなもんだから。ヘイサカンキョウは長い時間をかけて生き物を変な方向へ進化させるんだ。あの先生もトクシュな場所にしか生存していないトクシュな生き物だよ」

お兄さんの言っていることはよくわからなかったけれど、お兄さんが死神を悪く思っていないことだけはわかった。

「だから、森野も、何かひどいことを言われたのかもしれない。いや、どうだったのかな」とお兄さんは天じょうを見上げて、少し笑った。「本当のところはわからないんだけどね。まあ、そんなことがあって、そのせいで親も学校に呼び出されたりして、森野はしばらく学校を休んでた。本人はジシュテイガクだって言ってたけどね。卒業までもうしばらくだし、学校もそんな感じで手打ちにしたんだろう。ガラスが割られたのは、先週だって?」

「はい。そう言ってました。木曜日だったたって」

「それなら、そのジシュテイガク中のことだね」とお兄さんは言った。「そんなときにやられたもんだから、いっそう、腹が立ったんだろう。いつもは、そんなにあつかいにくいやつじゃないいんだよ」

そんなことを言われたって、三日後に呪ってやるとボクはきっぱり言い渡されている。

ボクがそう言うと、お兄さんは笑った。

「そうだったね。君は、ガラスを割った犯人を連れてこなきゃいけないんだった」

「はい」とボクはうなずいた。

「でも、君はすでに犯人を知っている」

「え?」とボクは顔を上げた。

お兄さんはにこにこと笑っている。

「そうじゃなければ、君はそんなに困ったりしない。というか、困っているヨユウなんてないはずだ。さっき言っていた友だち三人に事情を説明して、今ごろはみんなで犯人を探しはじめている。でも君は犯人を探していない。それどころか、友だちに会いに行くつもりもないみたいだ。ということは、犯人は友だちの一人？　いや、ちがうな。だったら、その友だちのところへ行くか、それができないのなら、その友だち以外の友だちのところに相談に行っているはずだ」

一言一言、考えるように話してはいるけれど、お兄さんの言うことは、全部当たっていた。

「兄ちゃんです」とボクは思い切って言った。「友だちの兄ちゃん」

「ははあ、なるほど」とお兄さんは言った。「間ちがいない？」

「たぶん」とボクはうなずいた。「でも、きっと、ガラスを割るつもりなんてなかったんだと思います。石を投げたら、ガラスにヒビが入っちゃって、それでびっくりして、にげたんだと思います」

「一度はにげ出したけど、あとになって心配になって、それで弟を使って様子を見てこさせようとした。商店街のそうぎ屋に死神がいる。そう言って、弟のきょう味を引いた。なるほど」

まさにボクが言おうとしていた通りだった。

「その兄ちゃんていうのは？」

「ムカ中にいます。一年生の、富田優介《とみたゆうすけ》です。あの、体のおっきい人なんですけど、知らないですか？」

「ああ、そう言えば、一年に一人、大きいのがいるな。ちゃんと話したことはないけど」

お兄さんはそう言って、そっか、うちの中学なのか、とつぶやいた。そのまましばらく考えてから、お兄さんは自分の足をパンとたたいて、立ち上がった。

「よし。とりあえず、行こう」

「え？　どこへ？」

「いいから、いいから」

ボクはお兄さんにせかされるまま、『カンダ文具店』を出た。

お兄さんは商店街をすたすたと歩いて、『森野葬儀店』の前に立った。

「これか。気づかなかったな」

お兄さんは、ダンボールが当てられたガラス戸を確認してから、店の中に入っていった。女の人はいなかった。代わりに、さっきはいなかった男の人と、さっきもいた男の人がいた。

「おう、文ぼう具屋のボウズじゃねえか」とさっきはいなかった男の人がお兄さんに言った。

「ああ、さっきの」とさっきもいた男の人がボクに言った。

「こんにちは」と両方に向けて言い、お兄さんは上を指した。「いますよね?」

「ああ、いるんじゃねえかな」とさっきはいなかった男の人が言った。

「あがりますよ」

「好きにしな」

言い方からするなら、この人がこの家の人で、だとすると、死神のお父さんということになる。声はムダに大きかったけど、こわそうな感じはしなかった。ボクはそのおじさんにぺこりと頭を下げ、お兄さんのあとに続いて、二階へと上がった。

死神はさっきの部屋にいて、さっきと同じように机の前のイスに座っていた。

入っていったお兄さんとボクを見て、死神はびっくりしたみたいにまゆ毛を上げた。

「何だ、何だ?　どういう取り合わせだよ」

「事情はだいたい聞いた。先週の木曜日に、店に石を投げられたって?」

「ああ、うん」

「それで三日以内に犯人を連れてこなかったら、この子を呪うって?」

「ああ」と死神が少し気まずそうにうなずいた。

「小学生相手に何をやってんのさ」

「ほっとけ」

死神はぷいとそっぽを向いた。

「まあ、いいや」

お兄さんは勝手にベッドに腰を下ろすと、ボクに向かって、自分の横の辺りをぽんぽんとたたいた。

「そのときのこと、再現してくれる？」とお兄さんは言った。

「はあ？」

死神は怒ったような声を上げたけれど、ぽんぽんとたたいたことについて文句を言い出す感じはなかった。ボクは、おそるおそるお兄さんのとなりに座った。

「いいから、いいから。そのときのくわしい状況を教えてよ」

死神に構わず、お兄さんはにこにこと笑いながら言った。

「森野はそのとき、そうやってイスに座ってた？」

「ああ」

「で、音がする。がしゃんって」

「そう。何だろうなって思って、私はイスから立ち上がって、窓の外を見た」

死神は本当に立ち上がって、窓のところに手をついた。

「うん。そこ。何で、窓の外を？」

「音がそっちから聞こえたから」

「何でそっち？」

「今と同じで、窓が開いてたから」

ボクの部屋の窓にはあみ戸がついているけれど、この部屋にはついていなかった。死神は開いた窓のところでぐるぐると手を回した。

「ああ。窓が開いていれば、すぐ下のガラス戸が立てた音はそっちから聞こえる。そりゃそうだ。それで、窓の外を見た」

「ああ、うん。でも、だれもいなかった。っていうか、そのときは、何の音かもわからなかったし、当然、石を投げた人を探そうなんて思っていなくて、ただ外を見ただけだから、見落とした可能性はあるけど」

「うん。それで？」

「うちのオヤジが下でごちゃごちゃ言っているのが聞こえたから、部屋を出て、店に下りていった。そしたら、ガラス戸にヒビが入ってて、オヤジと従業員が怒ってた」

「オヤジさんだけじゃなくて、従業員もいたんだね？　だれも犯人を見てないの？」

「ああ、見てない。私がガラス戸を開けてみたら、そこに石が落ちてた。それが、これ」

死神がボクにも見せた石をお兄さんに手渡した。お兄さんはそれを軽く二回、上に放ってから、死神に返した。

「だれがやったのかはわからなかったけど、今日になって、私をビコウしてきたロコツにあやしい四人組がいたから、とっつかまえて、おどしをかけてみた。あんた、犯人知ってるんだろ?」

うぐ、とボクは口ごもった。あんなに強い言い方をしたのは、ボクが犯人を知っているとわかっていたからか。

「ま、それはいいんだ」とお兄さんが言った。

「よくねえよ」と死神が言った。

「犯人はちゃんと連れてくるよ。ねえ?」

お兄さんがボクを見た。そっとそちらを見ると、死神はボクをものすごくにらんでいた。ボクはまたお兄さんを見た。結局、このお兄さんが敵なのか味方なのか、よくわからなかった。

「じゃ、犯人に会いに行こう」

お兄さんは言って、ベッドから立ち上がった。

「私も行くぞ」と死神が言った。

「期限は三日だろ?」とお兄さんは言った。「三日以内に必ず連れてくるよ。それでいいだろ?」

死神は不満そうだったけれど、お兄さんはそれ以上、文句を言わせず、ボクを連れて、『森野葬儀店』を出た。

「さて」とお兄さんは店を出たところで言った。「それじゃ、犯人のところに連れていってもらおうかな」

ボクは文ぼう具屋のお兄さんを陽ちゃんと優ちゃんの家に連れていった。二人の家は、ボクの家から歩いて三分もかからないところにある。幼ち園のころから、しょっちゅう遊びに行っていた。家のインターホンを押して、ボクが名前を言うと、「今、行く」と陽ちゃんの声が答えた。げん関を開けた陽ちゃんは、ボクとお兄さんを見て、ちょっと困ったような顔をした。お兄さんがだれなのか、説明してほしそうな顔をしたけれど、ボクは気づかないふりをした。

「あのあと、純を助けに行ったんだけど」と陽ちゃんはもごもごと言った。

「いいよ、別に」とボクは言った。

陽ちゃんはいじわるは言うけれど、ウソはつかない。陽ちゃんが助けに行ったと言うのなら、あのあと、本当に陽ちゃんは助けにきてくれたのだろう。たぶん、アキオくんやショウくんは反対して、反対する二人と別れて、陽ちゃんは一人で助けにきてくれたのだろう。だから、そのことはもう怒っていなかった。でもボクは、いつもされているいじわるの仕返しをちょっとだけしたかった。だから、陽ちゃんのことなんて全然、気にしてないみたいな言い方で言った。

「それより、優ちゃんいる？　優ちゃん、呼んでよ」

「え？　兄ちゃん？」と陽ちゃんが言った。

「うん。呼んできてくれないかな」とお兄さんが言った。

「え？」と陽ちゃんは言った。

またお兄さんがだれなのか教えてほしいという感じでボクを見たけど、ボクはまた気づかなかったふりをした。

「優ちゃん、いるんでしょ？」とボクは言った。

「あ、うん」

陽ちゃんが一度、家の中にもどった。すぐに優ちゃんといっしょにまたげん関から出てくる。

「君が富田優介くん？」

お兄さんが聞いて、優ちゃんがうなずいた。

「ちょっと話したいことがある。きてくれ」

「え？」と優ちゃんがお兄さんに言い、ボクに聞いた。「純。何？」

「君が森野の家に投げたものについてだよ」

お兄さんがさっきより強い感じで言った。優ちゃんがびっくりしたようにお兄さんを見た。

「なあ、純。どういうこと?」と陽ちゃんがボクに聞いた。

「陽ちゃんには関係ないよ」とボクは言った。

陽ちゃんが少し悲しそうな顔をした。いつもボクにはいじわるを言うくせにずるいな、とボクは思った。

「いいんだ。ちょっと行ってくるよ」とすごくキンチョウした顔で優ちゃんが言った。

ボクとお兄さんは優ちゃんを連れて歩き出した。陽ちゃんが何か言いたそうな顔をしていたけれど、ボクはムシした。だって、四年生になってからずっと、ボクは陽ちゃんにそうされている。

三人で近くの公園までくると、お兄さんはボクに言った。

「ちょっとここで待ってて」

優ちゃんとお兄さんは少しはなれた木の近くで何かを話し始めた。ボクは一人でブランコに座った。足を地面につけたまま、ひざだけを曲げ伸ばしして、ブランコを前後にゆすった。公園にはボクたちのほかにはだれもいなかった。ずいぶん長い間、ボクは一人でブランコに座っていた。やがてお兄さんが一人でもどってきて、ボクのとなりのブランコに座った。

「話はついたよ。明日、彼はボクといっしょに森野の家に謝りに行くことになった」

そっちを見ると、優ちゃんが一人で公園を出ていくところだった。優ちゃんが、いつもより小さく見えた。ちょっとむねが痛かった。

「やっぱり、優ちゃんが犯人だったんですか？」

「そんな顔をしなくてもいいよ。もともとが事故みたいな話なんだ。彼は悪くない」

お兄さんが優ちゃんに怒っていないみたいだったので、ボクはすごくホッとした。

「悪くない、んですか？」

「少なくとも悪気はない。彼に落ち度があったとしたら、ガラス戸にヒビを入れたのに、謝らないでにげちゃったことだ」

「優ちゃんは、でも、何で石なんて投げたんです？」

「彼は石なんて投げてないよ」とお兄さんは言った。「だいたい、あの大きさの石を投げれば、よほどうまく力を加減しない限り、店のガラス戸ぐらい割っちゃうだろう。ヒビだけですむはずがない。ヒビが入ったすぐあとにガラス戸を開けて、たまたまそこにあの石が落ちていたから、森野がそう思いこんでしまっただけだよ」

「え？　じゃあ、優ちゃんは」

「彼が投げたのは石よりももっと軽いものだ。割れずにヒビが入っただけなんだから、そこにぶつかったのは、石なんかよりも、もっとずっと軽いものだったと考えるべきなんだ」

「優ちゃんはガラス戸を割るつもりはなかった？」

「ちょっとちがう」とお兄さんは言った。「彼はそもそもガラス戸に当てるつもりなんてなかった」

「どうしてそう言えるんですか？」

「あのとき、店には森野のオヤジさんも、従業員もいた。そんなときに、いたずらにしたってガラス戸をねらうなんて、危険すぎるよ。たまたまつかまらなかったけど、つかまったっておかしくなかった」

「でも、それじゃ優ちゃんは……」

「想像してごらん。石よりずっと軽いものを構えた彼が、あの店の前に立っている。そして手にしたものを放り投げる。ねらった先は、どこだったと思う？」

ボクは店の前の様子を思い出した。

「え？　いや、よくわからないです」

「君、ピンポン球を思いっきり投げてみたこと、ない？　キョクタンに軽いものを強く投げようとしたとき、下にたたきつけるような投げ方になっちゃったって、そういう経験、ないかな」

それならわかった。野球のマネをして丸めたぞうきんを投げたとき、モップのバットを構えた陽ちゃんよりずっと手前の床にたたきつけてしまったことがある。そこまで考えて、ボクにもやっとわかった。

「あ。それじゃ、一階じゃなく」

「そう。二階。彼は二階を目指してそれを投げたはずだった」

あのとき、二階の窓ガラスは開いていた。死神がそう言っていた。優ちゃんはそこに目がけて、何か軽いものを投げ入れようとしたのか。

「でも、何を？」

「君も聞いてただろ？」

「え？」

「カプセルだよ」

ボクは文ぼう具屋さんのおじさんの言葉を思い出した。

『メガネ屋です。先週、店の前に割れたカプセルのハヘンがサンランしていたらしいです』

メガネ屋は『森野葬儀店』のとなりだ。

「ああ」とボクは言った。

「カプセルは軽すぎるから、ボールと同じ感覚で投げちゃうと、下にたたきつけるような感じになっちゃう。二階の開いた窓を目指したはずのカプセルは、一階のガラス戸に当たってしまった。軽いカプセルは、ガラス戸をつき破ることなく、ヒビを入れただけではね返って、下に落ちて、そこのアスファルトでぱかっと二つに割れる。ガラス戸を開けた森野は、辺りを見回す。そこにちょうどいい大きさの石があれば、それがガラス戸に当たったんだと思いこむだろう。球形なら、それが飛んでくる光景も想像できるだろうけれど、割れたカプセルはただのプラスチック片だ。二つまとまっていればまだしも、割れたカプセルはそれぞれ遠くに散らばっていたかもしれないしね。目に入ったところで、ただのゴミ。ガラスのヒビとは結びつかない」

「でも、カプセルって、何でカプセルを？」

「うん。それについて、今、聞いてきた。森野が学校の先生を階だんからつき飛ばしたっていうのは、話したよね？」

「あ、はい」

「その先生は、今、一年生の数学を担当している。彼もその先生が大嫌いらしい」

「え？」

「ボクもあの先生が大嫌いです、森野先ぱいを応えんしてます、がんばってください、って書いたメモをね、そのカプセルに入れたらしいよ。森野に早く学校にもどってきてほしかったんじゃないかな」

「ああ」とボクは言った。

そのカプセルを二階目がけて投げたつもりが、一階のガラス戸にぶつかってしまった。カプセルが二つに割れて、中のメモはどこかへ行ってしまったのだろう。割れたカプセルは、道行く人にふんづけられてプラスチックのハヘンになって、となりのメガネ屋さんに片付けられ、片付けたメガネ屋さんが文ぼう具屋さんに文句を言った。

「自分の口で言えってね。彼にはそう言ったよ。そのほうが森野も喜ぶだろうって。明日、森野のオヤジさんにガラス戸にヒビを入れたこと謝ったら、森野の部屋に集まって、三人で先生の悪口を言い合うつもり」

お兄さんはそう言って、それを楽しみにするみたいに、とてもうれしそうに笑った。


それからずっとずっとあとの話だ。そのときのことを優ちゃんと話したことがある。日曜日、部活が終わった帰り道、駅前でボクは優ちゃんとばったり会ったのだ。ボクは高校一年生になり、優ちゃんは大学一年生になっていた。そうでなくてもご近所さんだ。それまでも、優ちゃんと顔を合わせることはあったけれど、ことさらゆっくり話す機会はなかった。けれど、その日は、どちらから誘うということもなく、ボクたちは駅の近くの喫茶店に入った。あのときの話になったのは、その喫茶店があの商店街の一番端っこにある店だったからかもしれない。

「神田《かんだ》先輩が純と一緒にきたときな。ああ、覚えてるよ。そんなこともあったな。あれには参った」

優ちゃんはそう言って笑った。今でも、この商店街や駅前で、たまに神田さんや森野さんに会うことがあった。すれ違い様に軽く挨拶《あいさつ》くらいはするけれど、その程度の関係で、あの事件が二人にとってどんな想い出になっているのかはボクにはわからなかった。

変な具合に禿《は》げかかったマスターが、ボクたちの頼んだ飲み物を持ってきた。そのマスターが奥に引っ込むのを待って、ボクは聞いた。

「あのときは、森野さんを励まそうとしたんでしょ？」

コーヒーに砂糖を入れてかき混ぜると、優ちゃんは頭を指の先でぽりぽりとかいた。

「いや、あのさ、純。それだったら、俺だって口で言うと思わね？」

ボクはレモンスカッシュを飲んでいたストローから口を離した。

「え？」

「口じゃ言いにくいことだから、紙に書いて渡すんじゃね？」

「え？　え？」とボクは言った。「何？　どういうこと？」

「好きだったの。森野先輩が」

ボクは一瞬、言葉を失った。失ってから取り戻した言葉も、意味はなさないものだった。

「はあ？　ええ？」

「森野先輩は三年だったろ？　時期的に、もう卒業も近かったしさ。いい加減、告白しようと思ってたら、ある日から、突然、森野先輩が学校にこなくなって。先生に怪我《けが》をさせたらしいけど、事情がよくわからないし、ひょっとしたら、もうこのまま学校にこないんじゃないかって」

そう思い詰めた優ちゃんは……

「それじゃ、あれは……」

「はいな。恋文でござんすよ」と優ちゃんは笑った。

「あらあら」とボクは言った。「それは、それは」

恋文を詰めたカプセルは、思い人の部屋に飛び込むはずが、下の葬儀店のガラス戸にヒビを入れてしまった。ボクはその状況を想像してみた。それは想像を絶するほどいたたまれない状況だ。後ろも見ずに逃げ出すだろう。

「逃げたところで、紙には俺の名前も書いてある。何せ、恋文だからな。すぐに誰かが、うちのガラスにヒビを入れたな、って、怒鳴り込んでくるものだと思った。俺の書いた手紙を片手にさ。もう恥ずかしくて恥ずかしくて、消えてなくなりたかったよ」

「でも、実際には手紙はどこかにいってしまっていた」

「そんなこと知らないからさ。今にくるぞと思っているのに、誰もやってこない。どういうことだろうと考えて、思いついた。あのカプセルは森野先輩に拾われたんだって。

だって、他の人が拾ってたら、文句を言いにくるはずだろ？」

「実際には、誰も拾ってなかったから、誰もこなかったんだけどね」とボクは言った。

「俺にしてみれば、そうは思わないさ。森野先輩はどういうつもりだろうって、そればっかりが気になって。カプセルを投げた三日後の日曜日だった。ちょうど陽平と歩いていたときに、前から森野先輩が歩いてきた。俺、固まっちゃってさ。脂汗流しながら、一歩も動けなくなった。でも森野先輩は俺のことなんて気にしないで、黙って通り過ぎただけだった。陽平に、どうしたって聞かれた。誤魔化しようがないくらい固まっちゃってたもんだから」

「ああ」とボクは笑った。「それで、死神って？」

「我ながら苦しいとは思ったけどさ。陽平、聞いて驚くなよ、実はあの人はうちの中学では有名な死神なんだって」

うちの中学では有名な死神。わかるような、わかんないような説明だ。だから、あのとき、ボクたちの間で、わかるような、わかんないような話になったのだ。それでも兄ちゃん思いだった陽ちゃんは、心底、死神を恐れているらしい優ちゃんの姿に、死神狩りを決行しようとした。

「それにしても、まさか恋文とはね」とボクは言った。「それじゃ、神田さんは状況は正確に推理したけど、最後の一歩で間違えたわけだ」

「ああ、うん。そうだな。あのときは、俺もそう思った」

「え？」

「でも、あとで思うとさ、あのときの神田先輩、決めつけすぎてた気がするんだ。森野が怪我をさせたのは、君も知っているあの先生だ。この時期、君が森野にメッセージを伝えるのだとしたら、それと無関係なはずがない。君もきっとあの先生が嫌いだったんだろう？　森野を応援したかったんだろう？　励ましたかったんだろう？　ってね。思えば、一方的に決めつけるみたいに言われた気がするんだ。俺だって、ラブレターを出し損ねた、なんてカッコ悪い状況よりはずいぶんマシだからさ、つい乗っちゃったけど。そのほうがずっと謝りやすくもなるし」

「あ、うん」

「でもさ、あそこまで鋭い推理をした人が、そこだけ間違えるって何かおかしい気がするんだよ。だって、普通に励ますんだったら、普通に伝えるだろ？　普通に考えてさ」

「つまり、神田さんは、優ちゃんがラブレターを出そうとしたことに気づいていた？」

「そう思うんだ」

「でも、そう問い詰めちゃうと優ちゃんが可哀想《かわいそう》だから、話をすり替えた」

コーヒーを飲みながら、鼻を鳴らすようにして優ちゃんは笑った。

「え？　何？」

「いや、うん。どうだったのかなあ」

「うん？」

「神田先輩も好きだったんじゃないかって、今はそう思ってる」

「え？」

「森野先輩をさ、神田先輩も好きだった。だから、俺がラブレターを出そうとしたって思いたくなかったんじゃないかって。あのとき、神田先輩は無意識に、自分に都合のいい結論に結びつけたんじゃないかって思うんだ。ま、それが誰にとっても都合のいい結論だったから、それで収まっちゃったけど」

「二人は、その後、付き合ったとか？」

「それならわかりやすいんだけどな。それはないみたいだ。神田先輩は、大学の、今は三年だな。森野先輩は、高校卒業間際にご両親が亡くなって、今はあの店を継いでる。二人が付き合ったって話は聞かないな」

　森野さんのご両親が亡くなったのは、ボクも知っていた。お通夜にも行って、お焼香だけはしてきた。喪主の席にいた森野さんよりも、その森野さんを少し離れたところからじっと見ていた神田さんのほうがやつれた顔をしていた。

「でも、優ちゃんは今でもそう思ってるんだね？　神田さんが森野さんを好きだったって」

「先輩だから大人に見えたけど、あのとき、神田先輩も森野先輩も中三だからな。好きっていうより、何ていうかな、もっと自分にもわかりにくい感情だったんじゃないかなって思う。愛とか恋とかじゃなくてさ。好きな女の子の髪の毛を引っ張りたくなる感情の延長線上にあるような、そういうやつ」

「ああ」とボクは頷《うなず》いた。「何かわかるかも」

「男なんて基本、アホだから」

「そうだね」

ボクが頷くと、優ちゃんは、おお、と声を上げてのけぞってみせた。

「何?」

「いやいや、何でもない。まあ、そういうことだからさ、そろそろ陽平のアホのことも許してやってくんね?」

優ちゃんに急に話を変えられて、ボクは少し困った。

「陽ちゃんが話したの?」

「うん」と優ちゃんは頷いた。

たぶん、優ちゃんはその話がしたくて、今日、ボクを誘ったのだろうと思いついた。たぶん、ボクはその話がしたくて、今日、優ちゃんを誘ったのだろうと思い当たった。どちらから誘うわけでもなく、ボクらはどちらも誘っていたのだ。

「許せない？」

優ちゃんが言った。顔を上げると、優ちゃんは名前通りの優しい表情をしていた。

「許すとか許さないじゃなくて」とボクは言った。「どう考えていいのか、よくわからない」

「正直な感想を言わせてもらうなら、オレは陽平に同情してるよ」と優ちゃんは言った。

「クラスで一番どころか、学校で一番くらいの可愛い女の子が幼稚園からの幼馴染《おさなじ》みで、だけどその子はいつも男同士ばりの友情を要求してくる。自分は女の子としてのその子が好きなのに。これって、結構つらいぜ」

まあ、純にしてみればさ、と優ちゃんは軽く笑いながら続けた。

「これまで微妙なバランスで何とか続けてきた友情を、どうして今、ぶち壊そうとするんだって、裏切られたみたいに思うのかもしれないけど、あいつを見続けてきた兄貴からしてみりゃ、よく我慢したと思うよ。俺の見立てでは、陽平が純に恋をしたのは、小学校四年くらいからだ。そこから今まで六年。なあ、六年も気持ちを口にせずに耐えてきたんだ。純が要求してくる友情を守るためにね。そんな男がぶち上げた一世一代の告白だ。振るにしてもさ、きちんと男としてのあいつを見て、ちゃんと考えてから、振ってやってよ」

「わかった」とボクは頷いた。「わかったよ」

「ありがとう」

「よしてよ」

「行こうか」

優ちゃんは言って、立ち上がった。確かに頃合いだった。ボクは残っていたレモンスカッシュを吸い上げた。

「今日は部活だったの？」

「あ、うん」

「サッカー部だって？」

「うん。女子サッカー部が強いから選んだような高校だから」

「頑張れよ」

「ありがとう」

練習道具を入れたスポーツバッグを担いで立ち上がった。お金を出そうとしたけれど、優ちゃんに、いいよ、と制された。優ちゃんが会計を済ませて、ボクたちはその喫茶店を出た。

駅へと歩き出した優ちゃんは、その場から動かないボクを振り返った。家に帰るのなら、ボクも優ちゃんも駅に戻って反対側に向かうことになる。

「あ、ちょっと用があるから」とボクは商店街のほうを指して言った。

「そっか。それじゃ」

「うん。またね」

優ちゃんはボクに背を向けると駅のほうへと歩き出した。ボクはその背中から視線を逸《そ》らした。優ちゃんに振り返られて、目が合ったりしたら、泣き出してしまいそうな気がした。逸らした視線の先に、今、出てきた喫茶店の古ぼけた木の看板があった。『アルカディア』。ボクは視線を戻した。優ちゃんの背中はとっくに見えなくなっていた。きっと一度もボクを振り返ったりはしなかっただろう。

「男なんて基本、アホだから」

ボクは小さく呟《つぶや》き、商店街を歩き出した。行くあてはなかったけれど、駅で優ちゃんと鉢合わせなんていう間抜けな事態だけは避けたかった。やがて『森野葬儀店』の前を通り過ぎた。男どものやり切れないアホさについて、森野さんと語り合ってみたかった。すぐに『カンダ文具店』の前を通り過ぎた。なるべく陽ちゃんを傷つけない言葉や言い方について、神田さんのアドバイスが聞きたかった。引き返して、どちらかの店のガラス戸を開けてみようかと、一瞬、本気で考えた。けれど結局、引き返しはしなかった。ボクはちょっとだけ涙ぐみながら、ひと気の少ない商店街を歩き続けた。

ACT.2

君といた
〜stand by you

大学生風の女が軽い舌打ちとともに俺の前を通り過ぎていった。次にきたおばちゃんは汚らしいものでも見るような視線を残して足早に歩いていく。ゆらりと胸の中に立ち昇った怒りは、そこで渦を巻く前にぷしゅりとしぼんでいった。俺だって逆の立場に立てば鬱陶《うっとう》しいと思うだろうし、舌打ちもすれば、ガンだって飛ばすだろう。機嫌が悪ければ足元につばを吐くくらいはするかもしれない。

背後のディスカウントストアからは、五年ほど前に売れたロックチューンの印象的なギターリフが鳴り響いていた。週の頭から断続的に降り続いていたみぞれ交じりの雨は、今日はかろうじて落ちてきていない。それでも寒さにかじかんだ手は、とっくに痛みすら感じなくなっている。機械的な作業にマヒした頭で、ぼうっと視界をとらえていると、ティッシュを持つその手が自分のものには思えなくなる。

「お願いします」

どこかに消えてしまいそうになる正気を掘り起こすため、冷たい空気を吸い込んで、俺は声を張り上げた。その声も、気合も、差し出したティッシュも見事に無視して、事務員姿の女が柑橘《かんきつ》系の香水の匂いとともに目の前を通り過ぎていく。

仕事の内容から考えれば、五千円という報酬は高いというべきなのだろう。七つの路線が交わるターミナル駅近くの路上に立って、道行く女性に出会い系の広告が入ったティッシュを、ただ差し出せばいいだけの仕事だ。誰にでもできる。だが、二月の寒空の下、五秒に一度の割合で向けられる冷たい視線を受け止めるのは、そうたやすいことではない。もっとも、長時間やっていて心と体に堪《こた》えるのは、あからさまに向けられる侮《ぶ》蔑《べつ》や苛《いら》立《だ》ちの視線ではない。無視であり黙殺だ。もっと言うのなら、それに慣れていく自分だ。まるで自分が存在しないかのように通り過ぎていく人々に、何も感じなくなっている俺自身だ。

「がいします」

若い主婦らしき女性が、伸ばした俺の手を回り込むように避《よ》けて歩いていった。

「しまーす」

連れとおしゃべりに夢中だった女子高生は、俺の手に気づかずにぶつかり、きゃっと短く悲鳴を上げた。が、手の主を確認することもなく、そのまま連れとおしゃべりを続けながら歩き去った。

次にやってきた人の気配を感じて、俺はティッシュを差し出した。振り返り様、それが女であることは足元で確認していた。夏場ならまた違うのだろうが、冬場はみんなが分厚く着込んで、マフラーやら襟やらに顔をうずめている。深くニット帽をかぶっている人もいるし、マスクをしている人も多い。だから、顔や髪形や服装を見るよりも、足元を見たほうが男女の区別をつけやすい。めまいを起こしそうなほどくだらない時間の中で俺が学習した、ほとんど唯一のことだった。別に男に渡したところでとがめられることはないのだろうが、あくまで女性を相手に、一人に一つで、段ボール二箱分のティッシュをさばく。それが五千円の仕事の内容だ。くだらない仕事なだけに、最低限のルールは守っておきたかった。

相手が足を止めた。受け取ってくれるのかと思ったが、差し出したティッシュに手を伸ばす気配はなかった。俺は低いヒールの黒いブーツからその人の顔に視線を向けた。

「やっぱり」と彼女が言った。「浅沼《あさぬま》くんだよね？」

大沢《おおさわ》ひばり、と認識するのと同時に、言葉がこぼれていた。

「誰？」

こちらに一歩、近づこうとしていた大沢が足を止めた。顔に浮かびかけていた親しげな表情が強張《こわば》る。

「あ、私、大沢です。あの、昔、浅沼くんと……」

俺はさっさと大沢から目線を切り、次に歩いてきた女にティッシュを差し出していた。

幸い、受け取ってくれた。

「あらざーす」

「ああ。仕事中だよね。ごめんなさい」

ティッシュを受け取った女に押し出されるように、大沢が歩いていった。時折、未練がましくこちらをちらちらと振り返っているその姿を目の端だけで追い、俺はティッシュを差し出し続けた。

「がいしまーす」

がいしまーす、あらざーす、しまーす、おねがいしまーす、しゃーす、あーざーっす……

大沢の登場で動揺した自分を紛らわすため、また気合を入れ直してティッシュを差し出した。もらってくれる割合は一割に満たない。十回に九回は、出した手をそのままさっと引っ込める。腕全体を引いている暇はない。手首を丸めるようにしながら肘《ひじ》から先を返して、次にやってくる女にまたティッシュを差し出す。男なら一拍休み。

背後のディスカウントストアは同じCDをエンドレスで流しているようだ。アルバムが頭に戻り、また印象的なギターリフが聴こえてきた。それに合わせて踊るように、俺はティッシュを差し出し続けた。曲を作ったのは、俺より十くらい年上のアメリカのミュージシャンで、彼はちょうど今の俺の年齢のときにCDデビューしている。デビューから順調にキャリアを重ね、今では日本人ですら多くが彼の名前を知っている。彼の名前を知らなくとも、この印象的なギターリフは、耳にしたことのない人のほうが少ないだろう。いったい、彼と俺との差は何だったのか。

声を出すことにも疲れて、しばらく無言で動き続けた。段々と自分が、おかしな芸をしているおかしな生き物に思えてきた。ビルに見下ろされているおかげで冷たい風がくるくると舞う駅近くの歩道の上、五千円という報酬のために、込み上げてくるおかしさを堪《こら》えながらティッシュを配る金髪の二十五歳は、実際、おかしな生き物だろう。

そこから一時間ほどでようやくひと箱目の段ボールを終えた。午後四時になろうとしていた。学校上がりの学生たちが増え始める時間帯だ。ひと箱目ほどの時間はかからないだろう。そう思いながら、歩道の脇に置いていた二箱目を開けようと、そちらにかがみ込んだときだ。ふと視線を感じた。車道を挟んで、少し離れた向かいの歩道。大沢ひばりがビルの入り口に身を隠すようにして立っていた。俺と目が合うと、ビルの入り口から出てきた。

仕事、終わった？　少し話せる？

そう言いたいらしい。俺の視線を捉《とら》えたまま、大沢の口がにぃーっと横に広がった。おかしいわけでもないのに意味もなく笑う。楽しいわけでもないのに唇はにんまりと横に広がる。その癖は直っていないようだ。

開けるのはやめ、俺は段ボールを抱えて歩き出した。仕事はまだ終わっていないし、場所もここじゃないどこかへ移動する。無言でその二つを伝えたつもりだった。が、大沢が俺を追うように動いた。向こうの歩道を同じ方向へ歩き出す。先の信号でこちらに渡るつもりらしい。大沢が信号に足を止めた。俺は大股《おおまた》に先を急いだ。段ボールは見た目こそ大きいが、中身はティッシュだ。重くはない。道行く人を縫うようにして俺はさっさと歩いた。走り出せば、まるで逃げているようで惨めになる。そう思ったが、この急ぎ足だって、十分に逃げているように見えるだろう。そう気づいて、気持ちが萎《な》えた。追いついてくるならくればいい。開き直って歩調を落としたとき、俺のすぐ先でバスが停《と》まった。そこで初めて、そこにバス停のポールがあることに気がついた。運転席から運転手が急《せ》かすような目で俺を見ていた。運転手にすれば、俺の姿は、やってくるバスに合わせてバス停まで急いできた人のように見えたのだろう。待っててやるから、さっさと乗れということだ。一瞬、迷ってから、俺はダッシュして、バスに飛び乗った。すぐにドアが閉まり、バスが動き出した。俺を追ってきた大沢ひばりが、歩道の上から呆《ぼう》然《ぜん》とバスを見送っている姿が窓から見えた。目が合わないようにすぐに顔を伏せて、俺は一番後ろの座席まで歩いた。バスはすいていた。俺は座席に腰を下ろし、段ボールを横に放り出した。

十三年ぶりに、小学校の同級生と思いがけずに再会した。挨拶程度の会話は交わしたっていい。普通ならそうだ。けれど、何年ぶりだろうが、見て見ないふりをする。気づかないふりで黙ってすれ違う。そのほうがお互いのためになる。そういう関係だってある。

バスはそこから三十分ほど走って、終点である別の駅前の小さなロータリーに到着した。電車で通り過ぎたことは何度かあったが、実際にその駅で降りたことはなかった。段ボールを抱えて俺はバスを降りた。仕事の時間は特に決められていなかった。トイレもタバコ休憩も好きにしていい。二箱分を配り終えたら事務所に戻り、報酬を受け取る。そういう手はずだった。それでも、そう長い間、持ち場を離れるわけにもいかないだろう。戻るバスがいつどこから出るのかわからず、俺は段ボールを抱え直すと、駅へと向かった。が、切符を買い、改札に足を向けたとき、あの場所に戻ってまたティッシュを配っている自分の姿が妙に生々しく頭に思い浮かび、どっと疲れを感じた。

改札には入らず、駅の反対側へ出た。バスのロータリーがあったほうにはスーパーも書店もCDショップもあったが、こちら側はずいぶんと静かだった。駅前から小さな商店街が伸びていたが、人の往来はほとんどなく、商店街に建ち並ぶ店もずいぶん寂れて見えた。駅の反対側が栄えたせいで閑散としたのか、元から機能していなかったから駅の反対側に店ができたのか。一番手前に喫茶店があるにはあったが、営業しているかどうかもよくわからず、確かめてみる気にもなれなかった。俺は自販機でコーヒーを買った。温かいのを押したはずなのに、出てきたコーヒーは冷たかった。

「てめ」

振り上げてからその気をなくして足を下ろし、小さな駅前広場にあるベンチに座った。脇に置いた段ボールに肘を載せて寄りかかりながら、コーヒーを一口飲んだ。喉を冷たい塊が落ちていった。はあっと吐いた息が口の前で白い雲になり、すぐに消えていく。

あのとき、逃げ出す以外にどんな反応をすればよかったのか。こうやって落ち着いて考えてみても、まったくわからなかった。いっそ浅沼という人間であることを否定してしまえばよかったか。

浅沼？　誰、それ？　小学校の同級生？　人違いだろ。そいつはこんな金髪頭だった？　ピアス開けてた？　革ジャンきてた？

俺は耳のピアスを取った。わかっていた。こんなもので俺が俺でなくなるわけでもない。現に大沢は一目で俺だとわかった。

できることならきている服を脱ぎ棄《す》て、頭も剃《そ》り上げてしまいたかった。すべての八つ当たりをピアスに向けて、地面に叩《たた》きつけた。そのつもりだった。が、俺が投げたピアスは、たまたまこちらに向かってやってきていた足にぶつかった。

彼が足を止めた。高校生だろう。制服を着ていた。足元のピアスを拾い上げたのは、深い考えがあってのことではないらしい。拾ったピアスを手に、問いかけるような視線を俺に向ける。睨《にら》み返してから、真面目《まじめ》そうな高校生相手にイキんでいる自分が情けなくなって視線を外した。ピアスはその場に放り捨てていくだろう。そう思った。が、違った。

「あの」

彼が言いながら近づいてきた。俺は仕方なく視線を戻した。

「これ」

「捨てたんだ。拾うなよ」

「ああ。捨てたんですか」

「何だよ」

「あ、じゃあ、あっちで？」

彼が指した先にはゴミ箱があった。

「好きにしろよ」

網目状に組まれた鉄のゴミ箱だった。大雑把な網目に、ピアスは小さ過ぎた。入れたらそのまま下に落ちるだろう。彼もそう気づいたようだ。

ああ、でも、と呟《つぶや》き、まごまごしている。

「いいよ、もう」

俺は手を突き出した。

「持って帰ればいいんだろ。返せよ」

「あ、はい。すみません」

彼は恐縮した様子で俺の手にピアスを載せた。当然、立ち去るのだろうと思ったが、彼は俺の前から動かなかった。

「何?」と俺は不機嫌に聞いた。

「あの、そこ、いいですか?」

彼は俺が座るベンチを指していた。

「何でお前と喋《しゃべ》んなきゃいけないんだよ」

「喋る?」と彼はびっくりしたような顔で聞き返してきた。「あ、いえ、喋らないでいいです。そこ、ちょっと詰めてもらっていいですか?」

俺と段ボールが真ん中を占領している。どちらかに寄れば、彼一人くらいは十分座れるだろう。

「他に行けよ」

「あ、いやあ」と彼は言って、何とも言えない、気まずそうな顔をした。「こっから先、もう商店街だから」

「だから?」

「知り合いが増えるし」

「はあ？」

「何となく、ここを当てにして歩いてきちゃったんです。ここでちょっと考えてから行けばいいかって」

「どこへ？」

「どこって、ああ、友達のところなんですけど、いや、いいんです。他に行きます」

そう言いはしたものの、行き先に迷うように、彼はぐるりと周囲を見渡した。どうやら友達のところというその目的地は商店街の先にあるのだけれど、商店街にはまだ入りたくないらしい。手前のここで、深く息を吸ってから、えいやと飛び込むつもりだったのだろう。

友達という名前のいじめっ子、だろうな。

そう当たりをつけた。俺は段ボールを抱えて、右にずれた。

「いいよ。座れよ」

「あ、ありがとうございます」

彼は軽く頭を下げて、ベンチに腰を下ろした。段ボールを挟んで、並んで座ることになる。気まずいといえば気まずかったが、俺も立ち上がる気はしなかった。立ち上がったところで、行き先がなかった。

彼は背もたれに寄りかかり、目を閉じていた。気持ちを落ち着けているようでもあり、何かを深く考えているようでもあった。いじめっ子に金でもせびられているのだろうか。それを用意できなかったから悩んでいるのか。それとも、親の金をくすねてここまでやってきたけれど、本当にそれを渡していいのかどうか、決めかねているのか。

高校生の俺はいじめられてはいなかった。俺が誰のことも気にしていなかったのか、誰も俺のことを気にしていなかったのか。そのどちらかか、でなければ両方だ。いじめられたりいじめたりなどという幼稚な人間関係からは、小学生のときに卒業していた。

卒業か。

胸の中で呟いて、俺は手の中のピアスを眺めた。本当に卒業していたのなら、こんなものは耳につけていないだろう。自分が好きだから着飾る人間もいる。その一方で自分が嫌いだから着飾る人間もいる。金髪も、ピアスも、鋲《びょう》のついた革ジャンも、擦り切れたジーンズも、俺はただ昔の俺を消したくて身にまとっている。

「何年?」

つけ直す気にもなれず、もう一度投げ捨てる気分でもなく、俺は手の中のピアスを握り込んで、彼に視線を向けた。目を開け、俺を見て、自分に語りかけられた言葉だと確認できたらしい。

「高校生だろ?　何年?」

喋りたくなかったんじゃ？

そんな怪訝《けげん》そうな顔をしながらも、彼は答えた。

「三年です」

「じゃ、いいじゃねえか」

「いいって？」

「卒業まで、あとひと月くらいだろ？　卒業すれば他人さ。その友達とやらにも、もうかかわることもない」

ああ、と彼は頷《うなず》き、少し首をひねった。

「他人ですか」と彼は呟いた。「そうなんですかね」

俺は小学校を卒業して以来、そのころの同級生とかかわったことはない。中学進学と同時に引っ越したのは、親が通勤時間を短くするために中古の小さな一戸建てを買ったからだ。そのときは特に何も思わなかったが、ひょっとしたら親は学校での俺の様子を察していて、息子の環境を変えるために引っ越してくれたのかもしれない。

「ま、偶然、顔を合わすことなんかはあるかもしれないけどな」

先ほどの大沢の姿が浮かんだ。ぱっと見た途端に、昔の彼女の姿が頭の中にフラッシュバックしてしまい、今の彼女の姿を冷静に見られなかった。ぼってりしたコートを着ていて、彼女の体型も確認していない。今でもあのころのように丸々と太っているのだろうか。

俺はあのころの彼女の姿を思い出した。

大沢ひばりはとても太っていた。初めて見た人が驚いて、もう一度まじまじと見直してしまうくらい、真ん丸と太っていた。

ヒバリっていうより、ウズラ？　っていうか、ウズラのバケモノ？

凡庸で残酷な小学生女子たちから、ウズラーというあだ名が生まれた。

ウズラー、ほら、卵産みなさいよ。

ウズラー、ぼーっとそんなとこに立ってないでよ。丸焼きにするよ。

そんな風にからかわれる大沢をよく見かけた。みんな小学校五年生だった。苛立ちを社会にぶつけられるほど大人ではなく、えぐり出される弱さやそこを突かれる痛みは、自分の中に抱え込むしかなかった。抱え込めない分は、仲間内で吐き出すしかない。そういう時期だった。女子の間で活用されているサンドバッグを見て、男子も同じものが欲しくなったのだろう。その対象は、当然すぎるほど俺だった。ちびで痩《や》せっぽちで不細工で、頭も運動神経も悪い上に、集団生活が苦手な俺だった。あとはきっかけさえあればよかった。

ＧＷが終わってしばらくしたころだった。算数のテストを返すときに、先生が言った。

「この前もひどかったけど、今回はもっとひどい」

先生は俺の答案用紙をひらひらと振った。

「浅沼っていうか、こりゃ泥沼だ」

ブッと誰かが吹き出した。それは静かな笑いとなって教室に広がっていった。

その日の帰り道、いつも通り連れ立つ相手もなく一人で歩いていた俺を、四人のクラスメイトが囲んだ。

「いや、ずっと不思議だったんだけど、今日、やっとわかったよ」

一人が馴《な》れ馴《な》れしく肩に手をかけながら言った。

「お前、泥沼から生まれたんだな。そうだよな。人間ぽくないもんな」

肩を揺すってその手を外しながら、俺はあのとき教室に起こった静かな笑いの意味を理解した。泥沼というその言葉は、俺のイメージと見事にマッチしていたのだ。

「何か妖怪っぽいよなってずっと思ってたんだけど、ほら、お前、近いのは、あれだろ、ネズミ小僧？　でも何かちょっと違ったんだよな。どっちかっていうと、ネズミよりはカメっぽいし。お前はネズミ小僧じゃなくてカメ小僧だったんだ」

「カメ小僧って何だよ」と別な一人が言った。

「泥沼に棲《す》んでる妖怪だよ。にょきっと、泥沼から、こう首を突き出して、そんで通りかかった人を泥沼に引き込むんだ」

「げげえ」

引き込まれるぞ、逃げろ、と叫んで、彼らは駆けていった。

彼らの背中を黙って見送りながら、俺は思った。へえ、カメ小僧か。それが明日からの俺のあだ名か。これまでの沼ベエとなら、どっちがいいだろう？　沼ベエも妖怪っぽくて嫌だったけど、カメ小僧も嫌だな。カメ小僧って呼ばれたら、気づかないふりをしてやろうかな。そうすれば、二、三日で沼ベエに戻るかもしれない。

けれど、翌日からのあだ名は、沼ベエでもカメ小僧でもなかった。

「カメよりはすっぽんに近いってことになったんだ」

翌日の朝、昨日の四人のうちの一人がそう説明した。専門家が集まった学術会議で決まったことを伝えるような口ぶりだった。

「泥沼に棲むすっぽんだからドロポン。気に入った？」

ふうん、ドロポンか、と俺は思った。カメ小僧よりはいいような気がした。

ドロポンとウズラー。それが五年一組が誇る二大妖怪となった。その二大妖怪のどちらが強いのか。梅雨の間のもっぱらの話題だった。

絶対、ウズラー。ドロポンなんて一瞬で押し潰《つぶ》す。一分どころか、十秒もいらないわよ。

それが女子の意見だった。

いや、いやや、ああ見えて、ドロポンはしぶといぞ。倒されたふりをして、背後からネトッと絡みつくんだ。持久戦に持ち込めば勝機はある。

それが男子の意見だった。

一ヶ月ほどの白熱した議論のあと、ドロポンとウズラーは「一対一で正々堂々と」勝負することになった。体育の授業が終わったあと。蒸し暑く薄暗い体育倉庫の中で。

「ああ、そうだ。体育倉庫だったな」

俺は思わず呟いた。また自分の世界に沈みこもうとしていた彼が顔を上げたのが視界の隅に見えた。俺がそちらを見ていなかったことで、今度は独り言だとわかったようだ。彼がまたベンチの背もたれに身を預けた。ちらりと見てみると、彼は少し俯《うつむ》き加減で目を閉じていた。

ベンチにつけた尻が冷たかった。もぞもぞと尻を動かしていると、彼が呟いた。

「体育倉庫って？」

姿勢は変わっていなかったが、目を開けていた。自分の膝《ひざ》に問うように彼は言っていた。

いじめられっ子の先輩として、体験談を語ってやるのも悪くない。ふとそんな気になった。もちろんそれは、大沢と顔を合わせ、あんな風に逃げ出したせいだろう。

「夏休みちょい前の、すごく暑い日」

手に握り込んでいたピアスを脇に置き、尻の下に両手を敷いて、俺も自分の膝に語りかけるように言った。

「座っているだけでも汗が流れてきて、気持ち悪かった。顔も体もびしょびしょで。一時間もそこにいた。今、思えば、やばかったよな。熱中症で死んでてもおかしくなかった」

「夏の体育倉庫に一時間？　何でですか？」

「閉じ込められたんだよ。小五のとき。クラスのやつらが結託してさ。俺ともう一人がそこに閉じ込められた」

その光景を想像しているような間が少し落ちたあと、彼がぽつりと言った。

「ひどいや」

「ああ」と俺は頷いた。「ひどかったよ」

あのとき、同級生たちが外から無慈悲に南京錠《なんきんじょう》を閉める音を聞くと、俺は積み重ねられたマットの上に座った。次の授業にいなければ、誰かが探しにくるだろうと思った。助けられたそのあとのことを俺はシミュレーションしていた。先生は事情を聞くだろうが、本当のことは言えないだろう。ボールをしまっていて、もたもたしていたら忘れられて、外から鍵《かぎ》をかけられてしまった。たぶん、そんなことを言うだろう。閉じ込められていたのが、ドロポンとウズラーなら、先生もそれで納得する。お前たちはもうちょっとしっかりしろ。そう簡単に叱《しか》られて、話は終わるだろう。けれど、ドロポンとウズラーの対決の結末は同級生たちに報告しなければならない。別に報告する義務などないが、報告しなければ再戦を熱望されるのはわかり切っていた。今度は理科実験室だか音楽室だかに閉じ込められるのだろう。そんなの、面倒臭かった。

俺は立ち上がり、周囲を見回した。同級生たちに押し込められ、閉ざされた扉の前でしばらく呆然《ぼうぜん》としていたはずのウズラーの姿は、いつの間にか見えなくなっていた。さして広くもない体育倉庫を歩いてみると、跳び箱にもたれて、脚を抱えるようにしてウズラーが座っていた。

「ああ、なあ」と俺は声をかけた。「どうする？　どっちが勝ったことにする？」

ウズラーと言葉を交わしたことはあまりなかった。ウズラーはもっぱら女子に遊ばれていたし、ドロポンはもっぱら男子に遊ばれていた。似たような境遇にありながら、俺たちが交差する機会はほとんどなかった。俺にとってのウズラーは、小学生離れした巨体を持て余しながら、いつも気味の悪い笑みを浮かべている、ドン臭い女の子でしかなかった。同情もなかったし、共感もなかった。

ウズラーは答えなかった。脚を抱えて、膝の上に顔を伏せたまま、こちらを見もしなかった。

ふとお経のようなものが聞こえた気がして、俺は耳を澄ました。途切れ途切れではあったが、確かに何かが聞こえていた。抑揚の小さい、低い声だった。

「なあ、何か聞こえねえか？」

俺は辺りを見回した。そういえば、昔、この体育倉庫で誰かが自殺したとクラスのやつらが話しているのを耳にしたことがあった。小学生らしい都市伝説。アホなお子ちゃまのお前らしいよ。お前らの学校のトイレには花子さんがいて、お前らが住んでる町には口裂け女がいるんだろ？　自分の席で一人、机に突っ伏して寝たふりをしながら、俺は腹の中で笑っていたのだが、ひょっとしたら、その噂《うわさ》は本当だったのかもしれない。

「なあ」

さっきまでとは種類の違う汗が、俺の首筋を流れていった。

「何か聞こえねえか？　人の声みたいの」

もう一度強く聞くと、ウズラーが顔を上げた。そして、唇を横に引っ張ってにぃーっと笑った。愛想《あいそ》笑いのつもりなのだろうが、初めて見た人はぎょっとするだろう。その笑顔は、単純に気味が悪かった。

そんなんだからいじめられるんだろ。

自分を棚に上げて、そう言いかけた。ウズラーはいつだってそうだった。誰に何を言われても、何をされても、いつもにぃーっと笑った。俺みたいに無視して流していればいいというものでもないだろうが、そんな風に笑顔で受け止めてやることもない。

「人の声。聞こえたのか、聞こえてねえのか、どっちだよ」

そう言って、俺はまた耳を澄ました。が、先ほどまでのお経のような声は聞こえなくなっていた。気のせいだったかと思い直して、俺はウズラーが寄りかかる跳び箱の隣の跳び箱に寄りかかった。

「でさあ、どっちが勝ったってことにする？」

　俺が聞いたときだ。またあのお経のような声が聞こえてきた。びくりとしてそちらを見た。どうやらその音の発信源はウズラーであるらしかった。脚を抱え、膝の上に顔を伏せて、ウズラーがお経を唱えていた。

「え？　何？　何だよ？」

　閉じ込められたショックでおかしくなってしまったのだろうかと、俺は距離を置いたままウズラーに声をかけた。ウズラーがまた顔を上げた。俺に向かってにぃーっと笑ったその顔が、いつもと違って少し引きつっている気がした。よく見てみると、ウズラーは顔一面にびっしりと汗をかいていた。確かに体育倉庫は暑かった。それにしても、その汗の量は異常だった。

「苦手なの」とウズラーが言った。

「苦手って……」

「狭いところ」

「狭いところ？」

　おうむ返しに言って、俺は体育倉庫を見回した。そう言われてみれば、壁やら天井やらが迫ってくるように思える狭さだった。むんとした熱気に息苦しさを感じた。深く息を吸うと、ホコリ臭く、生温かい空気が肺を満たした。

「ああ」

「本当に苦手なの」

またにぃーっと笑ったウズラーの頰《ほお》がぴくぴく震えていた。膝を抱えている両手は、爪を立てるみたいに互いの腕を強くつかんでいた。

「ああ、えっと」

俺は言って、また辺りを見回した。扉が開かないことはさっき確かめた。それ以外に出口など、ありそうになかった。

「大丈夫かよ」

ウズラーに視線を戻して、俺は聞いた。

「大丈夫」とウズラーは頷いた。「でも、歌ってていい？」

「歌ってててって？」

「気がまぎれるの。気にしないでいいから」

その声までもが震えていた。

「ああ、おう、うん、いいぞ」

ウズラーはまた膝に埋《うず》めるように顔を伏せた。すぐにまたあのお経みたいな声が聞こえてきた。俺は耳をそばだてた。そのつもりで聴けば、確かにそれは歌らしかった。

「……げしいあいに……はだはもえる……わすれず……」

俺はしばらく黙ってその歌を聴いていた。言葉はあまり聞き取れず、途切れ途切れに聞こえてくる言葉にも、メロディーはほとんどついていなかった。ただ小さな声だけが苦しげに絞り出されていた。

「それ、何の歌？」

俺が聞いたのは、その苦しげな声に耐えられなかったからだ。

ウズラーが歌をやめて、俺を見た。

「『真赤《まっか》な太陽』」

「知らね」

「美空《みそら》ひばり」

そう言ってウズラーは、またにぃーっと笑った。

「美空ひばりって、あのおばちゃんか？　お前、そんなんが好きなのか？」

「お父さんが」

「ああ」と俺は頷き、そこで気づいた。「あ、それで、お前の名前、ひばりなのか？」

ウズラーは頷いた。

「好きな歌手の名前をつけたのかよ。バカみたいな親父《おやじ》だな。その親父が家で聴いてるのを覚えたってことか」

　ウズラーは引きつった笑顔のまま、首を振った。

「お父さん、もういないから」

「え?」

「死んじゃった。もうずっと前に」

「あ、ああ。そうなんだ」

　ウズラーに父親がいないことを俺は知らなかった。気まずく黙り込んだ俺を助けるようにウズラーが話を続けた。

「レコードがあるの。お父さんのもの、もうあんまりないんだけど、レコードは残ってるの」

「ああ」

「私、たまに聴くの。学校から帰ると、お母さんが仕事から戻ってくる前に、一人で聴くの。お父さんと一緒に聴いているみたいで、楽しいの」

「ああ、そう。そうなんだ」

　俺も学校から家に帰ると、一人で自分の部屋に閉じこもって、漫画を読んでいた。けれど、俺の場合、母親は家にいる。ウズラーの一人とは意味が違った。一人ぼっちで、いもしないお父さんと一緒にレコードを聴いているウズラーを想像した。

ウズラーは顔を伏せて、また歌い出した。

「……しずむ……だからなみだに……きせつ……」

俺は跳び箱に寄りかかりながら、しばらくその歌を聴いていた。

俺の予想に反して、次の授業が始まってしばらくしても、誰も助けにこなかった。立ち上がり、外の様子をうかがってみたが、人の声が聞こえることはなかった。あいにくとどの学年のどのクラスも、体育の授業ではないらしい。ということは、少なくとも、さらに次の授業まで体育倉庫が開けられることはないのだろう。

俺はまた元の場所に戻って座った。ふと気づくと、顔を伏せたウズラーからお経のような歌は聴こえてこなくなっていた。カタカタという音がした。ウズラーが寄りかかった跳び箱が揺れる音だった。

「なあ、おい」

ウズラーは顔を上げなかった。膝を抱えて、顔を伏せたまま、体を小刻みに震わせていた。

「気分、悪いのか？」

ウズラーがようやく顔を上げた。ついたホコリが汗で流れて黒い筋になっていた。

「大丈夫」

またにぃーっと笑う。冷たいプールに入っていたみたいに唇が紫色になっていた。震え《ゞ》も止まらない。

「大丈夫なわけねえだろ、それ」

怒鳴るように言うと、ウズラーの笑みが消えていった。何かを期待するような目で俺を見る。大丈夫なわけねえだろと言うのなら、それじゃ、大丈夫じゃないと言ったら、何とかしてくれるのか。そう問うような目だった。何も考えていなかった俺はたじろいだ。そこにあった期待の色は、すぐに消えた。青ざめて、びっしょりと汗をかいた顔で、またにぃーっと笑う。

「本当」とウズラーは頷いた。「大丈夫だから」

俺は倉庫の中を見回した。壁の上のほうに小さな換気用の窓があった。人が通れる大きさではないと思っていたが、試してみてもいいかもしれない。頭さえ通る大きさなら、体は意外に通れるものだとどこかで聞いたことがある。

俺は自分が寄りかかっていた跳び箱を壁のほうにずりずりと押していった。跳び箱の上に立ったが、窓はまだ上のほうにある。爪先立ちで、何とか指がかかる程度だ。

「ウズラー。立てるか?」

ウズラーが震えながら顔を上げた。

「こっち。ここ、乗って」

俺の顔を見て、その上にある窓を見て、もう一度俺を見て、ウズラーは首を振った。

「うん。そうだな。お前は無理だ」と俺は頷いた。「でも、俺はやってみないとわからないだろ？　いいからこっちきて、俺を押せ」

ウズラーは立ち上がり、のろのろと跳び箱の上にやってきた。ぐらりと跳び箱が揺れて、俺は慌てて壁に手を突いた。

「もっとこっち。いいか？　窓に飛びつくから、思いっきり押し上げろ」

俺は窓枠に向けてジャンプした。かかった手が滑り落ちそうになったとき、お尻をぐいっと押された。下を見ると、後ろ向きになったウズラーが、首の後ろに俺のお尻を当てるようにして、背中全体で俺を押し上げていた。俺は窓を開けた。夏のぬるい風すら、肌に心地よかった。俺はぐいっと首筋の汗を拭った。

取《と》り敢《あ》えず、ここを通りさえすれば。

俺は顔を横にして、窓枠の中にねじ込んだ。

「もっと押せ」

ウズラーが反《そ》り返《かえ》るようにして、俺のお尻を押した。

窓枠ががっちりと俺の頭に食い込んだ。

度を過ぎた痛みは言葉すら奪うことを知った。

ぐふう、という鼻から抜けた声がどう聞こえたのか、ウズラーはますます俺のお尻を押し上げてくる。

「ちょっ……」

ようやく喉から絞り出せた言葉に、ウズラーがこちらを見て、慌てて体を放した。不意に支えを失い、俺は足をばたつかせた。

「おま……ウズ……ひ、引け」

窓枠に食い込んだ頭だけが俺の全体重を支えていた。頭蓋骨《ずがいこつ》にひびが入りそうで、首はねじ切れそうだった。

ウズラーが俺の両足を引っ張った。強烈な圧迫感と痛みが去っていくのと同時に、俺はウズラーと二人して跳び箱から転がり落ちていた。体を襲う衝撃と痛みを咄嗟《とっさ》に覚悟したが、やってきたのは衝撃だけだった。ごんと、背中から音が聞こえた。俺はウズラーを下にして床に落ち、床に落ちた勢いで、ウズラーが頭を打ったらしい。ウズラーが頭を押さえて身をよじらせた。

「あ、おい。悪い。大丈夫だったか？」

身をよじらせていたウズラーが、しばらくすると動かなくなった。

「あの、なあ、え？」

俺は倒れたまま動かなくなったウズラーの顔を覗《のぞ》き込んだ。俺を避けるように、ウズラーが体を転がし、背を向けた。俺はその場にぺたんと座った。どうやらウズラーは泣いているらしかった。

「痛い、よな」と俺は言った。

俺に背を向け、打ったところを手で押さえて寝転がったまま、ウズラーが二回、頷いた。

「ぐぐ……」

ウズラーの喉から抑え切れなかったうめき声がこぼれていた。

「うん」と俺は頷いた。「わかる」

突如、があぁと喉を鳴らすようにして、ウズラーが泣き出した。俺は何もできず、さっき窓枠で切ったこめかみから流れてくる血を手で拭っていた。

「その次の授業で、体育倉庫を使うクラスが開けるまで、俺たちはずっと閉じ込められてた。俺たちがさ、二人して自分のクラスに戻ったら、担任、何て言ったと思う？　授業に出る気がないなら帰っていいんだぞってな、こっちを見もしないで言いやがったよ。俺の顔なんか擦り傷だらけなのにな。ウズラーだってホコリとか汗とかでぐしゃぐしゃに汚れてたし。たんこぶだって、でかいのができてて。いや、だからこそなんだよな。だからこそ、こっちを見もしなかったんだろうな。担任も本当はわかってたんだよ。でも、それをほじくり返すと面倒になるから、俺たちが授業をサボったってことにしたんだよ。今なら殺してやっただろうけどな」

何の気なしに口に流し込んでから、そのコーヒーが冷たかったことを思い出した。

「そのときは、どうしたんです？」

缶を眺めて舌打ちした俺に、彼が聞いた。

「どうもしねえよ。二人とも何にも言わずに自分の席に戻った。ドロポンはいつも通り無表情で。ウズラーはいつも通りにぃーって笑いながら」

俺たちが何かを語ったわけではないが、クラスの連中はドロポンとウズラーの死闘の様子を勝手に作り上げ、夏休みがくるまで語り草にしていた。

大沢ひばりが悪いわけではないけれど、彼女と会って頭に浮かぶのは、今でもはらわたが煮えくり返るようなあのときの情景だ。俺たちをけしかけたクラスメイトたちのうれしそうな顔。それ以外のクラスメイトたちのゴミでも見るような蔑《さげす》みの眼差《まなざ》し。俺は一切関係ないと言わんばかりにこちらに目を向けなかった担任の強張った表情。二つだけ空いている俺と大沢の机。それでも滞りなく進んでいるいつもの授業。

すべてに火をつけて燃やしてやりたかった。すべてをぐしゃぐしゃに丸めて捨ててしまいたかった。すべてを真っ黒に塗り潰してやりたかった。どれもできないから、俺はいつも通りに振舞うしかなかった。まるで何事も起きなかったかのように。たぶん、大沢にしたって同じだっただろう。それから十三年後の今日、偶然、出会ってしまったのは仕方ない。が、俺たちは断じて言葉など交わすべきではなかった。あのころのことなど、あのころの自分たちのことなど、忘れるべきなのだ。あいつらが、あのころのことなど、あのころの俺たちのことなど、今ではきっとさっぱり覚えていないのと同じように。

「そのひばりさんは？」

「ん？」

「その後、どうしたんです？」

「小六のときは、クラスは違ったけど、同じような立ち位置だったみたいだな。まあ、俺だって同じだったけど。俺は卒業と同時に引っ越しちゃったから、そのあとのことは知らないよ」

「そうですか」

久しぶりに思い返した苦々しい思い出は、今でも俺の胸に鈍く爪を立てていった。俺は残っていた冷たいコーヒーを一息に飲み干した。

「まあ、だからさ。学校なんて狭い世界のことは、卒業してしまえば、すぐに関係なくなるって話だ。そこのことも、そこにいた人のことも。お前も、あんまりくよくよするな」

「ああ、はあ」と彼は頷いた。

俺は狙いをつけて、空き缶を投げてみた。五メートルほど先にあったゴミ箱に、かんと音を立ててきれいに収まった。今年分の運をすべて使ってしまったような気がした。

「納得してないような返事だな」

横目で彼を見て、俺は言った。

笑いかけて、彼はすぐに笑うのをやめた。両手を膝の間にはさみ、少し上に向かって、ふうと息を吐き出した。

「そんなもんなんでしょうかね。人との関係って」

「そんなもんだろ」と俺は言った。

「道がね」と彼は言った。

「道?」

「離れちゃったんですよ」

「何?」

「同じ道を、同じ速度で、ずっと一緒に歩いてきた連れがいたんです。それがあるとき、道がわかれちゃった。いや、わかれたことにも気づかなかったな。ふと気づいたら、遠くにいた感じです。どうやったら声が届くのかもわからなくなっちゃって」

「ああ」

「中学のときに、そいつが階段から先生を突き飛ばしたことがあったんです。かなり問題になったし、大騒ぎになったけれど、そいつはやった理由を決して言わなかった。僕にも教えてくれなかった。そう考えると、そのころにはもう、道はわかれてたんでしょうね」

どうやら彼の頭の中を占めているのは、俺が思っていたようなことではないらしい。

商店街の先にいるのは、友達という名前のいじめっ子ではなかったようだ。それどころか、本当の親友なのだろう。真面目で優等生の彼。やんちゃを通り越して不良になっていく友人。そんなところか。

「仕方ねえじゃねえか。行き先が違ったんだろ？」

だったら俺は、ずいぶんくだらない告白をしたことになる。口調は自然とぞんざいなものになった。

彼は自分の首に手を当てて、考え込むように少しうなだれた。

「行き先は、ああ、どうなんでしょう。どうなのかな。わからないけど、僕はそいつの味方のつもりだった。どこにいようが、何をしていようが、それは変わらないし、それは相手だってわかっているだろうと思った。でも、たぶん、そうじゃなかった」

彼の現状も、彼の悩みもわからなかった。そのまま伝えた。

「わかんねえよ」

「この前、そいつの両親が死んだんです」

さすがに一瞬、言葉に詰まった。

「両親が？」と俺は聞いた。「二人ともっていう意味か？」

「ええ。事故で」

「ああ」

『そいつ』と呼ぶ『連れ』ならば、彼と同じ年か、少なくとも同世代だろう。その年齢で両親を失うとなると、かなりの大ごとだ。

「僕、どうすればいいかわからなくて、でも、どこかで、頼ってくれるだろうって、漠然とそう思ってたんです。助けが必要になったとき、そいつが助けを求める相手は絶対に僕だろうと思っていたし、だから、そのときにそいつが求めることをしてやればいいだろうって思っていました。でも、そいつは助けを求めてこなかった。僕にも、他の誰かにも、助けを求めなかった」

いつか想像した大沢ひばりの姿が、不意に脳裏によみがえった。母親がまだ仕事から帰らない家で一人、父親の名残を探すようにレコードをかける小学生の女の子。その袖を引っぱたきたくなるほど悲しい情景だ。

「強いんだな」

「みんなそう言ってます。そう思わせるようなやつだし。でも、そんなわけないでしょう？　高校三年生で、両親をいっぺんに失って、大丈夫なわけがない。誰の力も借りずに立ち直れるわけがない。それとも、この考え方って、間違ってますかね？　人の死って、ましてや両親の死って、誰の力も借りずに、一人で受け止めるものなんですかね？」

自分を責める彼の言葉が、俺を責めているように聞こえた。

「わかんねえよ」と俺は言った。「でも、しょうがねえだろ。何も言ってこないんだったら。まさか自分の両親を殺してみせてやるわけにもいかないだろが」

俺が言い返していた相手は、たぶんあのときの大沢ひばりだ。

「他にどうしろって言うんだよ」

「そうですね」と彼は頷いた。「そうですよね。どうしようもないんです」

塾へ行くのだろうか。鞄《かばん》を提げた小学生が二人、広場を横切って、駅のほうへと歩いていった。ハトが一羽、空から舞い降りて、卑屈な御用聞きのように俺たちの顔色をうかがいながら近づいてきた。座ったまま、俺は右足を振り上げた。ハトは飛び上がったが、すぐに降りて、また近寄ってくる。いらっとして立ち上がり、ハトに向けて蹴りつける仕草をした。さっきより遠くに降り立ったハトが、首を振って右に左に歩きながらこちらの様子をうかがっていた。そちらを睨みながらベンチに座り直した俺の横で、彼が呟いた。

「そうですよね。どうしようもないんですよ」

投げつけてやろうかと、俺はピアスを手にした。

「どうしようもないから、しょうがないんですよね」

俺はハトから彼に視線を戻した。

「何、言ってんだ？」

「うん。しょうがないんですよ」

彼の顔にさっきまでなかった笑みが浮かんでいた。

「お前、大丈夫か？」

「ああ、いや、ごめんなさい。僕、鈍かったですね」

「え？」

「さっきの話、僕のためにしてくれてたんですね。そうですよね」

彼は一人で勝手に一つ頷き、何かを心に決めた様子で立ち上がった。

「そばにいてやります。そいつに何もしてやれないけど。でも、そうします。小学校五年生のときのあなたが、大沢ひばりちゃんにそうしてあげたように」

「あ、ああ」

「いずれは離れるかもしれない。離れて二度と会わないかもしれない。でも、いや、違うな、だからこそ、なんですよね。そうですよね。ありがとうございました」

彼が手を伸ばしてきた。握手を求められているらしいと気がついたが、何かを誤解しているらしき彼と握手を交わすのも気まずかった。俺は手にしていたピアスを置くと、段ボールを開けて、中からポケットティッシュを取り出し、彼に差し出した。

「あ、え？」

握手のつもりで差し出した手に、ティッシュを差し出し返す。咄嗟にしては上出来の冗談だと思ったのだが、そいつはくすりとも笑わずに、手の中のティッシュを見つめた。

やがて大きく頷く。

「ああ、そうですね。涙を拭くティッシュくらいなら、僕にも渡してやれますね」

感嘆したような目でこちらを見てくる。やたら真面目でやたら面倒臭そうな男だった。付き合いきれなくなって、俺はもっともらしい顔で頷いておいた。

「ああ。出会い系の、それは抜いとけよ。場違いだ」

「そうします」

「そんじゃな」

「ええ」

彼は俺に向かってぺこりと一礼すると、足早に商店街へ向けて歩いていった。

両親の死に沈む友人に向かって、不器用にティッシュを差し出す彼の姿が浮かんだ。取り敢えず、これで涙を拭けよ、と。それで何かが始まるわけではない。何かが落ち着くわけでもない。そこにはやっぱり、涙を流す人と、その涙をどうすることもできない人とがいるだけだ。

「ああ」

その情景を思い浮かべて、俺は思わず呟いた。

「そうだよな」

何もしてくれなくても、何もしてやれなくても、それでもたぶん、涙を流した人はそのとき誰かが隣にいたことで、何もできなかった人は涙を流した人の隣にいたことで、いつかその情景を許せるようになる。現に、今、頭に思い浮かべた彼と彼の親友との情景は、もの悲しくともどこかぬくもりのあるシーンだった。

『小学校五年生のときのあなたが、大沢ひばりちゃんにそうしてあげたように』

今しがたの彼の言葉を思い出した。

そうしてあげたわけじゃない。閉じ込められたからそこにいるしかなかった。同じ境遇だから泣いている大沢から目を逸《そ》らせなかった。それだけのことだ。

それでも、と俺は思った。

そう。それでも、大沢ひばりにとって、一緒に体育倉庫に閉じ込められたのは、この世で俺しかいない。俺はそこで彼女の父親が亡くなったことを聞いた。彼女が一人でレコードを聴いていることを聞いた。お経みたいな彼女の歌を聴いた。それなのに俺は、それを全部なかったことにしてしまった。

俺は立ち上がった。そこに置いたピアスが目に入ったが、ベンチに残しておくことにした。段ボールを抱えて歩き出した。自然と早足になった。またあの駅前に戻ったところで、大沢がいる可能性は低かった。それでも俺はそこに行かなければならなかった。大沢をつかまえて、俺はその後の話を伝えなければならなかった。

俺、中学に入って、すぐにギターを始めたんだ。頭も悪いし、運動神経もないから、ギター。中学に入っても友達はいなかったから、環境は抜群さ。誰にも邪魔されない。学校から真っ直《ます》ぐ家に帰って、部屋で一人でずっと練習してた。だから、うまくなってさ。そのうちに、ほら、バンドブームみたいなのがきただろ？　何にも出来なかったけど、俺、ギターだけはセミプロ級だったから、もう引っ張りだこ。高校に入っても友達は相変わらずできなかったけどさ、バンドでギターリストがいなくなると、声がかかるんだ。次のギターまでのつなぎできてくれないかって。しばらくでいいからって。引っ張りだこなんだけど、誰もうちのバンドに入ってくれとは言ってこなかったな。結局、そこでも一人だよ。俺らしいだろ？　俺もさ、しょうがねえから付き合ってやるけど、普通のロックとか本当はやりたくねえんだよなみたいな顔してさ。オルタナだとか、グランジだとか言ってみたりして。何だかわかんねえだろ？　俺もわかんねえもん。わざとチューニングずらしてギター弾いたりして、ちょっとパンク気取ったりしてたわ。でもさ、家に帰って、一人の部屋で弾くのは、最初に覚えた曲だよ。『真赤な太陽』。本当は、俺、それを弾きたくてギター始めたんだ。一人でギター弾いてさ、そんとき、頭の中で大沢が歌ってるんだよ。いやいや、違うな。あのときさ、体育倉庫の中で、大沢が歌ってた歌に、俺はずっと伴奏を合わせてたんだよ。ああっと、これ、大丈夫だよな？　愛の告白みたいになってないよな？　当たり前だけど違うからな？　なあ、今でも美空ひばり、歌ったりするか？　会社の同僚とカラオケ行って、歌ったりする？　その前に、そもそも、今はどうしてる？　ちゃんとやってるのか？　俺を見て、声をかけてきたくらいだから、きっとちゃんとやれてるんだよな。俺なんか、逃げちゃったもんな。でも、いいよ。今のことを話してくれよ。俺、聞くから。聞いて、褒めてやるから。頑張ったなって。あのとき、俺と一緒に体育倉庫に閉じ込められてたくせに、今はそんなにちゃんとやれてるのかって。それができるの、俺だけだもんな。

俺は改札まで小走りに駆けた。さっき買った切符を探したが、ジーンズのポケットには入っていなかった。どこにしまったか。それともどこかに落としたのか。段ボールを下ろして、本格的に体をまさぐり始めたときだ。

「浅沼くん？」

バスロータリーがあったほうから、大沢がこちらに向かって歩いてきていた。びっくりして、俺はその場に固まった。俺のあとを追って、次のバスに乗ったということなのだろう。そうやって俺を見つけられる可能性なんて、ほとんどゼロに近い。俺がどこで降りたかもわからないし、降りてどうしたかもわからない。それでも大沢は俺のあとを追った。大沢にとって、記憶の中にある俺との情景は、それくらいのことをする価値があるものだったということだ。そう気づいて、固まった体がゆっくりとほぐれていった。

「よう、ウズラー」

びくりと足を止めた大沢は、俺の顔に笑みが浮かんでいるのを見て、ほっとしたように表情を緩めた。

「久しぶり、ドロポン」

十三年ぶりに見る大沢は、やっぱり昔みたいに太っていた。けれど、背が伸びた分、びっくりするほどではなかった。相変わらず貧弱な俺の体を上から下まで眺め、その視線をまた上に戻して、大沢がにぃーっと笑った。あのときと同じ笑い方だったけれど、あのときとは違った。今の大沢はたぶん、笑いたいから笑っていた。

「今……」

大沢の言った「今」と俺の言った「今」が重なった。俺たちは顔を見合わせてちょっと笑った。

「少し話せる？」と大沢が聞いた。

「ああ、うん。大丈夫」と俺は頷いた。

大沢が頷き、促すように俺を見て、きた方向へ歩き出す。その先にコーヒーショップがあった。段ボールを抱え直して、俺は大沢の隣に並んだ。大沢からは石鹸《せっけん》みたいないい匂いがした。

「少しは痩せたかと思ったけど、そうでもないな」と俺は言った。

軽く睨むように、大沢が俺を横目で見た。

「そういうとこ、変わらないよね。今も友達いないでしょ？」

「ずばり、いない。お前は?」

「ずばり、いるよ。少しだけど」

「おお、すげえじゃん」

俺はうれしくなって、思わず声を上げた。大沢は照れ臭そうに、またにぃーっと笑った。

「そんなこと、褒める?　三人だけだよ」

「おい、すげえな。三人もかよ」

「うん。そんなにすげえ?」

「ああ。すげえよ、ウズラー」

俺は言いながら、コーヒーショップの自動ドアをくぐった。

いらっしゃいませ、こちらへどうぞ。

その声と店内のざわめきにかき消されてしまったけれど、大沢が何かを言った。

作り方、教えようか?

その声は、そう聞こえた気もした。

「ん?　何か言ったか?」

聞き返しながら俺は、温かい飲み物を頼むために大沢とともにカウンターへ向かった。

ACT.3
サークル
〜a circle

小気味いいピッチングをする。

それが彼女に最初に抱いた印象だった。剛速球というわけではない。高一になったばかりの女子が投げているにしては速いほうではあるけれど、球速を測ればおそらく八〇キロそこそこしか出ていないだろう。県大会なら優勝を争ううちの学校で、速球派としてピッチャーを担うつもりなら、あと五キロは球速を上げて欲しいところだ。それでも私は、その新入部員のピッチングからしばらく目を離せずにいた。それは、ピッチャーズサークルで躍動する伸びやかなフォームのせいかもしれない。今、投じたのはドロップだろう。糸を引くような軌跡が、ベース付近で変化しながら、キャッチャーミットに吸い込まれていく。受けているのは、三年生のレギュラーキャッチャーだった。

「ナイスボール」

そう言いながら、サークルの一年生にボールを返す。新入部員の取《と》り敢《あ》えずの技量確認。そのはずだが、それにしては彼女に投げさせている球数は妙に多い。それまで投げさせた三人の新入部員たちは五、六球ほどで交代させられていたが、彼女はもう十球ほどを投げていた。

「ピッチャー候補は、あれが最後？　ヒナちゃんを脅かす新入りはいなさそうね」

肩のストレッチをしながら遠目に投球を眺めていた私に、浦本《うらもと》さんという三年生の先輩の一人が近づいてきた。私はストレッチをやめ、帽子を取って姿勢を正してから、どうでしょう、と曖昧《あいまい》に応じた。

大柄な体つきと、大ざっぱな性格のせいだろう。ほとんどの同級生たちは、私を『アネゴ』と呼ぶ。小学校三年生のときについたあだ名を高校まで持ち込んでしまったうかつさには我ながら呆《あき》れるしかないが、いかにも頼られているような、親しみのこもったその響きが嫌いじゃなかったことも事実だ。今では先輩たちもふざけて私をそう呼ぶことがある。そんな中、この浦本先輩だけは必ず私を『ヒナちゃん』と呼んだ。結城雛乃《ゆうきひなの》。それが私の本名なのだから、取り立てておかしな呼び方でもない。それでも、彼女が発する『ヒナちゃん』という声には、少し粘着質な響きがあるように思えてしまう。

去年のこの時期、入部からあまり間を置くことなく、私はチームのエースとして認められた。私が入部する前まで次期エースと目されていた、松島《まつしま》さんという二つ上の先輩は、何の屈託もなく控えに回り、ときに先輩として、ときに同じピッチャーとして、様々なアドバイスを私にしてくれた。が、当時、二年生の控えピッチャーだった浦本先輩は、その光景が許せなかったようだ。なぜ一年生の『ヒナちゃん』がエース扱いなのか。ピッチングとは、球速やコントロールだけで決まるものではないだろう。これまでの実績や、チームからの信頼度を考えたとき、エースにふさわしいのは松島先輩のはずだ。監督や当時のキャプテンに、何度かは遠回しに、それが通じないと知るとかなりはっきりと、そう訴えたらしい。が、監督も、当時のキャプテンも、レギュラーを担っていた先輩たちも、何より松島先輩本人も、その訴えに耳を貸さなかった。私がエースピッチャーに定着して間もなく、浦本先輩がピッチャーから外野に転向したのは、私への当てつけなのだろう。松島先輩の控えならともかく、『ヒナちゃん』の控えなどやっていられない。そういう意思表示だと思う。松島先輩が卒業すれば少しは和らぐかと思ったのだが、あいにくと浦本先輩のほうに態度を軟化させるつもりはなさそうだった。

「たいしたのはいないみたいだけど、ちゃんと育ててあげなよ。それだって、エースの責任なんだからね」

彼女たちが育たなかったら、悪いのは私。そう言いたいようだった。

「はい」

私は言って、一礼した。帽子をかぶり直して、さっさと歩き出す。さっぱりしている、すがすがしい、いやいや、いっそ男らしい、と友人たちは称《たた》えてくれるが、私はそれほどすっきりとした性格ではない。つまらないことをうじうじと思い悩むし、些細《ささい》な恨みを深く根に持つ。それを人には見せないくらいのずるさもわきまえているのだから、男らしいどころかかなり女々しい性格だろう。歩きながらバットを持って『別にあなたから離れたくて歩き出したわけじゃないのですよ』とささやかにアピールしたのも、そんな性格の表れの一つだ。誰に気づかれなくても、私自身は百も承知している。

「いいですか？」

バッターボックスに立ち、私はキャッチャーをしている矢部《やべ》先輩に聞いた。

「だったらマスクぐらいつけるよ」

「振りません。立つだけですから」

立ち上がりかけた矢部先輩が、また腰を落とした。

「やっぱ気になった？」

ちらりと私を見上げて、矢部先輩が言った。

「何か、ちょっと」

私はそう応じて、サークルの中心に立つ新入部員に声を上げた。

「打たないから。思いっきり投げなよ」

彼女はこくりと頷《うなず》いた。緊張は感じられたが、物怖《ものお》じした様子はない。ソフトボールはチームプレイ。とはいえ、ピッチャーはやはり特別なポジションだ。ゲームの間、ピッチャーはチームの一員でありながら、ピッチャーズサークルという半径二メートル余りの円の中で孤独な存在になる。技術や体格以前に、性格的な向き不向きが大きくものをいう。

ほとんど棒立ちでバットを構え、ベースから少し距離をおいて立った。新入部員が、ウィンドミルからボールを投げ込んでくる。打席に立ってみてわかった。右打者から見れば外へわずかに沈んでいくその球は、意識して落としているドロップではなく、癖のあるファストボールらしい。

「今の、真《ま》っ直《す》ぐですか？」

ナイスボール。

そう言って、ボールを投げ返した矢部先輩に私は確認した。

「どうもそうみたいだね。さっきから同じ球筋だから」

「意外と打ちにくそうな球ですね」

「うん、そうなんだけど」

矢部先輩は首をひねりながら、またミットを構えた。

「何か、説明しにくい球だよな」

「そうですね」と私は頷き、またバットを構えた。

新入部員がまた投球フォームに入る。今度は飛んでくるボールよりも、彼女の投球動作のほうに注目した。これまで、本格的な指導は受けてこなかったのだろう。ぴょんと軽く飛び上がるようなフォームは、エネルギー効率から見れば修整する必要がありそうだ。素直で瑞々《みずみず》しい躍動感を感じさせるそのフォームから放たれるボールは、思ったほど伸びてこないで、ベース付近ではむしろ沈んでいく。

ああ、と私は気づいた。彼女が本来持っているピッチングフォームの潑剌《はつらつ》さと、彼女が本来持っている球筋の癖が一致しないのだ。だから、妙に打ちにくそうに見える。

「天然チェンジアップですよ、あれ」と私は言った。

「うん」と矢部先輩はボールを返しながら頷いた。「私も、今、気づいて、今、全く同じこと考えた。面白いは面白いけど」

矢部先輩が苦笑し、私も苦笑した。

「ええ。慣れてしまえば、打ちやすいですね。球速もそこそこですし。もって、二巡目までてでしょう」

ラストな。

矢部先輩が叫んで、新入部員が、はい、と頷き返した。

高校一年の女子にしては肩幅のある、がっちりした体が、軽やかに躍動しながら大きな白いボールを投げ込んでくる。

いや、と私は思った。あれは投げているんじゃないんだな、と。押し出しているというのともちょっと違う気がする。たぶん、彼女の投球フォームが気になったのは、この表現しがたい独特の雰囲気のせいだ。これはどう表現すればいいのだろう。

そんなことを考えていたせいで、頭と体が離れてしまったようだ。頭から解放された体が、自然に反応していた。今度はやや内よりから真ん中に向けて沈んでいくボールに、腰が勝手に回った。芯《しん》に当たったときの軽やかな音を残して、ボールはセンター方向へ飛んでいった。外野のところで遠投練習をしていた新入部員たちが、自分たちの頭上を越えていくボールを見上げ、歓声を上げている。

「打たないって言ったろ？」

立ち上がって、打球を目で追いながら、矢部先輩が言った。

「あ、すみません。思わず」

「あれ、意識的に投げわけられるようになれば、面白いよ。ヒナノのあとに一イニング投げるくらいなら、かなり有効だと思う。いろいろ教えていこう。まずは、あの腕の出し方からだね」

さすがレギュラーキャッチャーだ。矢部先輩も彼女の腕の振りのおかしさには気づいていたようだ。そうあからさまでもないが、お手本通りの投球と比べたとき、彼女は手のひらと右腕の内側とをややベースに向けるようにしてボールを投げている。だから下方向の回転がかかって、ボールが沈むのだ。そう分析して気づいた。彼女のピッチングフォームは、ボールを投げているというより、こちらにきたがっているボールを送り出してやっているかのようだった。

ボールの行方を追っていた新入部員が、こちらに向き直った。自信をなくしてうなだれてはいないかと少し心配したのだが、彼女の顔に浮かんでいたのはそれとは正反対の、楽しそうな、晴れやかな笑みだった。私のバッティングを称えているのではなく、ただ単純に、白いボールが空高く、遠くまで飛んでいったことをうれしがっているように見えた。空を行く飛行機にはしゃぐ幼児のようだった。目が合い、私に見られていたことに気づくと、彼女は慌てて笑顔を消した。無理に急いでそうしたことで、苦い薬を飲み下した子供のような顔になった。彼女に背を向け、バッターボックスから引き揚げながら私は失笑した。

変な子だな。

それが、森野《もりの》というその新入部員に、二番目に抱いた印象だった。

ソフトボールという競技から離れて時間が経《た》った今なら、ピッチャーズサークルの中心にいたときの森野の気持ちが少しわかる気がする。圧倒的に孤独なその円の中心で、彼女はきっと、投げられ、打たれ、捕られるボールの行く末そのものを楽しんでいたのだろう。大げさにいうのなら、彼女はボールに次々と訪れる運命を楽しんでいたのだと思う。

「ん？」

声に視線を上げると、一志《かずし》の目が笑っていた。

「あ、ごめん。何か言った？」

私は聞き返した。自分が食卓についていたことを思い出した。ご飯を箸に載せ、口に運ぶ途中で物思いに耽《ふけ》ってしまっていたようだ。こぼれたご飯がテーブルの上に落ちていた。私はそれを再び箸で持ち上げて、口に運んだ。

「私、ぼうっとしてたね、今」

その自覚はちゃんとある。そう彼に伝えたくて、私はご飯を噛《か》みながら言った。ふと、口に入れたご飯が、思ったよりも冷めていることに気づいた。手にしているお茶碗《ちゃわん》の中のご飯にも、温かさはない。目をやると、向かいに座った一志はもう食事を終えていた。自分がどれくらい我を失っていたのか、わからなかった。咄嗟《とっさ》に時計に目をやった。昼の一時半を指していた。食事を始めたときには一時を回っていたはずだから、そう長い時間ではなかったのだろう。

「本当にごめんね。ちょっと考え事しちゃって」

それで誤魔化せる長さなのかどうかはわからなかったが、思わず言い訳めいた口調でそう言っていた。

「仕事のこと？」

一志が聞いた。言い方にも、眼差《まなざ》しにも、私を気遣う様子があふれていた。やはり、不自然なくらいには長い間、私は自分の意識の中に閉じこもっていたようだ。

「ちょっと、昔のことを、今ね、ふっと思い出したの。何でだろ。変だね」

「そう」

彼はほっとしたように微笑《ほほえ》んだ。すでに辞めた職場のことで私がまだ思い煩《わずら》っているのではないかと心配したのだろう。

「何か、楽しそうだったよ。お茶、淹《い》れ直すね」

「え？」

立ち上がった彼に、私は聞き返した。

「お茶。温かいやつ」

「あ、うん。ごめん。ありがとう。楽しそうだったって？」

「雛乃、今さっき、楽しそうな顔をしてた。何か、楽しいことを思い出してた？」

「ああ、そう」と私は頷いた。「うん。高校時代のこと。ソフト部の」

「ああ。そのころは雛乃、ずいぶん頑張ってたんだよね」

急須《きゆうす》にお湯を入れていた彼がそう言ってから、ちょっと気まずそうな顔をした。

そのころは頑張っていた。でも、今は頑張っていない。私にそう伝わってしまったのではないかと彼は気にしている。それを否定しようとすれば、今度は、雛乃は今も頑張っているよね、と言うしかなくなる。だから、彼は口ごもり、何も言えない。そう口にすればそれは私を励ましていることになってしまう。患者をむやみに励ましてはいけないと、私がいない場所で、おそらく彼は医者から申し渡されている。

うつ病。

妙な病気だと自分でも思う。同じ病気でも、それは風邪や胃腸炎とは違う。自覚症状こそがそのすべてだ。私がうつだと思えば私はうつ病で、私がうつだと思わなければ私はうつ病ではない。そうではない、と医者は言う。うつ病とは、風邪や胃腸炎と同じく病気である。それどころか、放っておいて治ることがほぼないという点で、それらにも増して厄介な病気なのである、と。医者がそう言うのならそうなのだろう、と思う一方で、私がちゃんとしていればこんなことはすぐに解決するのに、と思う気持ちも拭えずにある。

気まずそうな一志から目を逸《そ》らし、私は棚の上にある写真を眺めた。三年ほど前、ソフトボール部の同級生との集まりで撮ったものだった。このころ、私はまだうつ病にはなっていなかった。高校卒業後に就職した精密機器メーカーの工場で、ライン管理の仕事をしていた。この先、こんな機会は何度でもあるだろうと思っていたけれど、高校時代の仲間たちに会えたのは、そのときが最後だった。

「そうだね。あのころが私の黄金時代」と私は言った。

「黄金時代って」と彼はちょっと困ったように笑った。困らせるつもりはなかったので、私は慌てて言い添えた。

「卒業から、もう十年か。早いなあ」

言葉に出すほど驚きはない。高校時代は遠い記憶の中に沈んでいて、表面に出てくることなどめったにない。県大会ではベストフォーの常連だったチームで、一年からエースで、三年からはキャプテンも務めていたその少女が自分であったとは、今では到底思えない。いや、思いたくない、というべきか。

黄金時代。

そうだと思う。

二度と戻らないその時代が、今の私の唯一の拠《よ》り所《どころ》だ。だからこそ、あの少女が、こんな惨めな二十九歳の女になっていることを認めたくない。過去を否定し、過去にすがる。突き詰めれば矛盾することがわかっていながら、今の私はその矛盾の中で足踏みを続けている。

「また先生に会ってみたら?」

淹れ直したお茶を持って、彼が私の前に戻った。私たちの会話で先生といえば、精神科の担当医を指すことが多いが、たぶん今、彼が言ったのは、高校時代、ソフトボール部の顧問をしていた教師のことだろう。もう五十代半ばに差しかかっているはずだ。卒業以来、年に二、三度程度、不定期に顔を合わせてはいたが、私の病気を知ってからは、ふた月に一度ほどのペースで定期的に我が家を訪ねてきてくれる。私のほうは、会えるときもあるし、会えないときもある。会っても、普通に話せるときはまれで、ほとんどろくな受け答えもできずに、黙り込んでしまうことが多い。それでも先生は、気にする様子もなく、当たり障りのない話を楽しそうに、ゆったりと話してくれる。病気を理由に勤めを辞めて一年あまり。今、一志と医者以外で、私が定期的に顔を合わせているのは、その先生くらいだ。

「ああ、うん」

私は曖昧に応じた。今日はかなり体調がいいほうだ。日曜日だから先生も休みだろう。それでも、今、先生に会いたい気分ではなかった。先生が語りかけるのは、私であって私でない。言葉の外側は目の前の私に向けられているけれど、言葉の内側はあのころの私に向けられている。無理もない。先生が知るのは、チームのエースでキャプテンだった『アネゴ』だ。先生に会うということは、私にとって、あの『アネゴ』と向き合うことに他ならない。それでほっとするときもあったが、今は気持ちがそういう方向へ向きそうになかった。

「電話、してみようか？」

曖昧な私の答えを彼は前向きなものだと捉《とら》えたようだ。私にそう聞いた。

「ああ、うん」

同じ言葉を同じように繰り返し、私は首をひねった。

その答えが必ずしも前向きなものではなかったことに彼が気づき、電話をやめてくれるのならそれはそれ。気づかずにかけてしまうのならそれもそれ。

以前はこんな風ではなかった。自分でもそう思う。私はかなりはっきりと物事を決断するほうだった。

「今日はやめておこうか。散歩にでも出かけてみる？　天気もいいし」

「ああ、うん」

一志が私の答えを待っていた。けれど、私はまだ前の話題を頭の中で持て余していた。

今、先生に会いたい気分ではない。けれど……。

「森野、覚えてる？」

前に訪ねてきてくれたとき、先生がそう言った。

「この前、ばったり会ったの。あなたに会いたがってたわ」

さっき森野のことを思い出したのは、そんな先生の言葉が頭のどこかに残っていたせいかもしれない。高校を卒業する間際にご両親が亡くなり、森野は家業の葬儀屋を継いだと、風の便りに聞いたことがあった。

森野にならで会ってみたい。先生からその名前を聞いたとき、咄嗟にそう思った。卒業以来、会ったことはないし、同じ部にいたとはいえ、学年が一つ違うのだ。さほど親しい交流はなかった。それなのに、他の誰でもなく、森野にならで会ってみたいと、私はそう思っていた。

たぶんそれは……。

ふと気づくと、鏡の前に座っていた。口紅を構えて、どれくらい自分と見つめ合っていたのか。私は我に返って、口紅を引いた。

彼女だけは失望しないから。こんな自分を目にすれば、あのころの『アネゴ』を知る人たちは失望するだろう。けれど、森野だけはしない。だって森野は、本当の『アネゴ』を見ているから。

「教師を突き飛ばした？　階段から？」

私は驚いて聞き返した。

おーい。アネゴー。へーイ。ボール、寄越《よこ》せやーい。

声に目をやると、私とキャッチボールをしていたサキが、頭上で両手を振りながら声を上げていた。

「あ、悪い」

私はサキにボールを投げ返した。私の隣でキャッチボールをしていたフタバが、やってきたボールを捕りながら、そうらしいよ、と頷いた。

「うちの弟、一こ下。森野とムカ中で同級生。それが言ってるんだから確かな話。数学教師を階段の上から突き落としたらしい。卒業間近だったから、とにかく出しちゃえってことで、うやむやに処理されたみたいだけど。若くて人気のある先生だったから、女子生徒の顰蹙《ひんしゅく》をかなり買ったらしい」

フタバが相手にボールを投げ、私はサキから飛んできたボールを捕った。

「そういや何となく」

一度、意味もなくボールを軽く上に放り投げてから、サキに投げ返し、私はフタバに言った。

「孤高な感じがするよな、森野って。友達、少なそうだとは思ったけど、そういうことか」

「あ、それは違うみたい」

「うん？」

「友達が少ないのはもともとだって」

「ああ、そうなの？」

苦笑しながら、私たちとはかなり離れたところで同級生相手にキャッチボールをしている森野を私は盗み見た。

　クールに振舞っているわけではない。反抗的なわけでもない。練習には真面目《まじめ》に出てくるし、出てくれば同級生たちとは普通に喋《しゃべ》っているし、先輩たちに対する態度も礼儀にかなっている。それでも、森野はいつも孤独な空気をまとっていた。ピッチャーズサークルからボールを投げ込むその姿は、ソフトの練習をしているというより、ピッチングという一人遊びをしているようにも見えた。

「そういえば、今日、浦本先輩は？」

　森野を見たついでに、キャッチボールをする部員全体を見回して、私はフタバに聞いた。

「いないんじゃない？　最近、休み、多いよね」

　もともと私の控えになるのを嫌って外野に転向したのだが、適性を無視した転向がうまくいくはずもなく、浦本先輩は今、外野で四、五番手の控えに甘んじていた。私が入部する以前は、誰よりも真面目に練習にきていたらしいが、最近はサボることも多い。

「アネゴのせいじゃないよ。気にすんな」

　フタバが軽い口調で私を励ましてくれた。

「わかってる」

　私は軽く頷いた。フタバはちらりと同情するような目を向けたが、それ以上は何も言わずにキャッチボールを続けた。

自分のせいで、浦本先輩を部から遠ざけてしまった。私はそれを気にしている。そう思っているのだろうが、誤解だ。

練習中に、私が浦本先輩の姿を気にするのは、なるべく浦本先輩に近づかないようにするためだ。ことあるごとに、いちいち嫌味を言いに近づいてくる彼女を避けるためだ。浦本先輩が練習を休んでいると聞けば、私はそれを気に病むどころか、単純に喜んでいた。


このころからすでに、私は周囲を欺きながら生きていたのだ。


こういう店は、どうやって経営が成り立っているのだろう？ハマダ眼鏡店と書かれた看板の下で、地味に装飾された金縁の眼鏡がショウウィンドウの中にちょこんと収まっていた。敷かれた青いフェルト地の布は、日焼けと埃《ほこり》でくすんで見える。どれくらいそこに飾られているのか。三ヶ月や半年ではないだろう。一年か、三年か、五年か、あるいはもっとか。

この眼鏡がこのショウケースの中から出るのと、私が社会復帰できるようになるのとでは、どちらが先だろう。

「買いますか、それ？」

ふと肩越しに声をかけられ、振り返った。間近に森野の顔があった。

「あ、いや。買わない」

あまりにもあっけない、そしてあまりにも突然の再会にたじろぎながら、私は言った。

「こういう店って、どうしてやっていけてるんだろうと思って、それが不思議で」

ああ、と森野は笑った。

「何も不思議じゃないです。やっていけてませんから」

森野は笑いながらそう言うと、隣の『森野葬儀店』のガラス戸に手をかけた。がらりと戸を引き開け、中に入っていってしまう。そのままガラス戸が閉まり、私はひと気のない商店街に取り残された。私とは気づかなかったからあの対応だったのか、私と気づいたけれどあの対応だったのか。まさか後者ということもないように思ったけれど、これだけはっきり顔を合わせて思い出してもらえないのなら同じ意味だ。改めて訪ねていく気力も湧かなかった。

帰ろうと決めはしたもののすぐには体を動かせず、私はショウウィンドウの中の眼鏡をぼんやり眺めていた。森野を訪ねる。そう思い立ったものの、外に出かけるにはかなり入念な気持ちの準備が必要だった。服を着替えて、化粧をして、靴をはくまでで、二時間かかった。めまいを堪《こら》えながら電車に乗り、最初にかける言葉を何度も頭の中で繰り返して、よろけるように何とかここまで歩いてきた。満を持して訪ねた相手にふいに遭遇し、そっけなくあしらわれ、そう簡単に次の行動に移れるものではなかった。

それでもどうにかのろのろと駅へと体を向けたときだ。再びガラス戸が開く音がした。そちらを見やると、中からひょこりと森野が首だけを突き出した。

「え？　アネゴ？」

「ああ、うん」

浮かべた私の笑みは、迷子の子供のように気弱なものだっただろう。

「久しぶり」

「お久しぶりです。あの、え？　私ですか？」

私はぶんぶんと首を振り、用意してきた言葉を口にした。

「ああ、いや、たまたま。たまたまテーブルクロスを、うん、買おうと思って、昨日、しょうゆをこぼしちゃったから、それで、歩いてたら、森野の家、この辺りだったなと思って」

何度も頭で繰り返したはずの言葉なのに、流暢《りゅうちょう》には出てこなかった。

「ごめん。突然、ごめんね」

「とんでもない。うれしいです」

改めて店から出てきた森野が、にっこりと微笑んだ。十年ぶりに会った一つ年下の、一風変わった後輩は、見違えるほど大人の女性になっていた。もう二十八になるのだから当たり前だ。けれど、森野に自分はどう見えているのだろう。そう思うと、気持ちが萎縮して、次の言葉が出てこなかった。

森野が私を見ていた。

『この前、ばったり会ったの。あなたに会いたがってたわ』

先生はそう言っていた。ならば、そのとき先生と森野との間で私のことが話題になったのだろうし、だったら、森野は今の私の状態を承知しているのだろう。けれど、その目に特段、私をいたわるような色は宿っていなかった。そのことに私は心から安堵《あんど》した。

「テーブルクロスは？」と森野が聞いた。

「え？」

「買ったんですか？」

「あ、いや、まだ」

「ちょっと見てみます？」

「え？」

「最終的には駅のあっち側のホームセンターになるにしても、参考程度に」

こっちです。

森野はそう言って商店街を駅とは逆方向に歩き出した。私はその横に並んだ。

今日はかなり調子がいいとはいえ、今の私の歩くペースは普通の人よりはるかに遅い。

それでも森野は私のペースをすぐに把握すると、何も言わずにそれに合わせてくれた。他の人だったら気遣われていると感じただろう。けれど、森野にはそう感じなかった。落ちた沈黙を気にする風もなかった。どうにかしようとする気配もなかった。森野はただ私の隣をゆっくりと歩いていた。

森野に連れていかれたのは、『ムラキ』と白抜きされた赤いビニールの庇《ひさし》がかかる店だった。それだけでは何の店かわからなかったが、中に入ってみると、食器やら調理道具やらのキッチン用品が並んでいた。森野に続いて中に入った私がガラス戸のサッシを閉めたとき、奥から人が出てきた。四十代後半ほどの小柄な男性は、森野の顔を見ると、客用に作りかけていたらしき笑みを消した。

「ああ、何だ、葬儀屋か。何?」

「テーブルクロス。あるだけ出せ」

私が聞いたことのない乱暴な口調で森野は言った。乱暴ではあったが、そこにこもっていたのは親しみで、敵意や悪意ではなかった。それは男性もわかっているようだ。

「あるだけ出せって、お前、なあ。もうちょっと言い方ってあるだろ」

苦笑した男性は、機嫌を損ねた様子もなく店の棚を探ると、レジ脇のテーブルに商品を並べてくれた。どれも長らく売れずにいたものらしいが、汚れているのは外装のビニールだけで、中の商品に問題はなさそうだった。

「見てみてください」と森野は私に言った。「たいしたものはないけど、値段はついているのの半額でいいんで」

「半額って、おい」

「得したな、ムラキ。お前の葬式代も半額にしてやるよ」

ずいぶんな物言いだったが、男性はただ苦笑した。あっさり諦めたようだ。

「葬式代って、何だよなあ」

「母ちゃんと娘が喜ぶぞ」

「あ、俺、母ちゃんより先に死ぬのが前提？」

「母ちゃんより長生きする根性があるのか？」

「根性はないけどさあ、最近、たまに考えるの。母ちゃんが先に逝って、俺は一人、この家に暮らしていて、で、嫁に行った娘が心配してちょこちょこ訪ねてくるんだよ。再婚する気があるならしてもいいんだからね、とか言いながら、料理を作ってくれたりしてさ。で、俺は娘が作ってくれた手料理を、夜、一人でぽつねんと食べるのさ。コップ酒を飲みながら。そんな余生をちょっと夢見てんだよね」

「素敵な将来設計だな。今度、母ちゃんに言っといてやるよ」

「言うなよ」

笑いながら言った男性は、私と一緒になってテーブルクロスを品定めし始めた森野に目を向けた。

「え？　言うなよ？」

「柄は？」と森野が聞いた。

「あんまり細かいのは。大柄のなら」と私は応じた。

「色は暖色ですかね」

「そうだね。薄目で」

「あ、いや、葬儀屋。冗談だからな？　なあ、葬儀屋さん？　お葬儀屋様？　聞いてる？」

「うるさいな。聞いてるよ。それで、これ、何割引きだっけ？」

「だっけって、は？　だから、半額だったんじゃなかった？　五割引き。違った？」

「え？　七割？」

反論しかけ、男性はすぐに諦めた。

「はい。値札の三割で結構です」

「いい店でしょ？」

森野が私ににっこりと笑った。

「あ、うん」と私は頷いた。

最終的に三つに候補を絞り、私はそれらを見比べた。存分に迷ってくれというように、森野は男性と喋り始めた。

「娘は、今年、短大卒業だよな？」

「そう、それ。相談しようと思ってたんだよ。てっきり普通に就職するもんだと思ってたら、留学したいとか言い出してさ。ありゃ、きっと文房具屋の倅《せがれ》の影響だと思うんだよ。葬儀屋、お前、どう思う？」

「知らないよ。神田に聞いたらどうだ？」

「だって、あいつ、今、アメリカだろ？　帰ってきて一度就職して、けどすぐ辞めて、またアメリカ行って、それっきりだよな？」

「メールって知ってるか？　知らないなら、お前の目の前にある、それ、電話っていうんだけど、使い方、教えてやろうか？」

「電話って、だって、外人が出たらどうすんだよ。あ、葬儀屋、お前がかけてくれよ。番号だって知ってるんだろ？　暇なときでいいからさ、向こうの留学事情とか、聞いてみてくんないか？」

「嫌だよ」

「どうして」

「だって、外人が出たらどうすんだよ」

淡い黄色のリーフ模様が入ったものに決めた。

「あ、決めました？」と森野が言った。

「うん。これで」

私はその商品をレジの脇に立つ男性に手渡した。久しぶりに自分で何かを決めた気がした。先ほどの掛け合いの様子から、あるいは冗談かとも思ったのだが、私は本当に値札の三割でそのテーブルクロスを買い、森野とともにお店を出た。

「アネゴ、もう少し時間ありますか？」

「ああ、うん」

私は頷いて、森野の表情を盗み見た。そこにはやはり、私をいたわる様子はなかった。久しぶりに会ったのだからもう少し、という以上の意味はないようだった。

「よかった」

呟《つぶや》いた森野は、今度は駅に向かって歩き出した。商店街の一番端。いかにも昔ながらといった感じの喫茶店に入っていく。

「いらっしゃい、って、何だよ、葬儀屋か」

客のような顔でカウンターに座り、新聞を読んでいたのが、その店のマスターらしい。葬儀屋という通り名で、どこに行ってもぶっきら棒に扱われる森野がおかしかった。

「コーヒー二つな。あ、コーヒーで？」

ぶっきら棒さに関しては、森野だって負けていない。私が頷くと、森野は店の奥の席に向かいながら、マスターに声をかけた。

「ああ、店で出すような上等なやつじゃなくていいから。適当なやつで」

禿《は》げた頭頂部をゴリゴリとかきながら、マスターが顔をしかめた。

「うちは喫茶店だぞ。店で出すような上等なコーヒーしかおいてないよ」

「ああ、そうなの？　何か、悪いな。そんないいやつをただで出してもらって」

「毎度のことじゃねえか」

ヘンともフンともつかない調子で鼻を鳴らし、マスターはサイフォンでコーヒーを淹れ始めた。私と森野は商店街に面した窓の脇の一番奥の席に向かい合って腰を下ろした。

「あの顔で、意外にうまいコーヒーを出すんです」

カウンターの中には届かない声で、森野は言った。

「顔は関係ないでしょうよ」と私は笑った。

「そうでしたね」と森野も笑った。

「あ、ごめん。そういえば、仕事は平気だった？」

「留守番が一人いるんで、ええ、大丈夫です。ベテランの社員ですから。アネゴは？」

「私は、会社、辞めてるから。もう一年くらい前に」

「そうでしたか」

森野は頷いた。病気のせいで、と言いはしなかったが、わかったはずだ。それでも、森野の目はあくまで平淡だった。同情もない。いたわりもない。こちらの心情を忖度《そんたく》するような回りくどい様子もなく、善意を押しつけてくるような面倒臭い様子もない。だからそこには、演技もなく、偽りもなかった。

これだな、と私は思った。森野に求めたのは、これだ。

「ずるいな」と思わず呟いて、私は目を伏せた。

「何です？」

意を決して、私は顔を上げた。

「私、森野に会いにきた」

「はい？」

「テーブルクロスは嘘《うそ》。しょうゆで染みを作ったのは本当だけど、買い換えるつもりなんてなかった。ただの言い訳」

「そりゃそうですよ」と森野は笑った。「テーブルクロスを買うつもりで、この商店街に足を向けてくれる人がいたら、終生名誉会員証を贈呈します。手形を取って、歩道に飾りますよ」

「そっか」と私もちょっと笑った。

「うれしいです」と森野は言った。「会いにきてくれて」

私をいたわったわけではない。それは言葉通りの意味なのだろう。久しぶりに私に会えたことを、森野は単純にうれしがっている。ただ遠くへ飛んでいくボールをうれしそうに見送った高校一年の森野の顔を思い出した。部の中で誰よりもひねくれているように見えた森野が、本当は部の中で一番無邪気だったのかもしれない。そう気づいた途端、私の中でかせが外れた。手から逃れた風船のように、言葉がするすると喉を上っていった。

「まさか自分がうつ病なんてね」

うつ病、という言葉を誰かに発するのは久しぶりだった。同情をねだっているようで、嫌だったのだ。

賛意も示さず、否定もせず、森野は曖昧に頷いただけだった。

「集団生活には慣れているつもりだったんだ。キャプテンだってやってたし。人とワイワイやりながら働くのが向いていると思ってた。就職した先は、精密機器メーカーの工場だった」

知ってるよね、と目線で尋ねると、森野が頷き返してきた。

「就職っていっても、ああいう時期だったし、実際は契約社員。ラインには私と同じように契約社員の人もいたし、派遣の人もいたし、海外から出稼ぎにきている人もいた。工場を向上心にあふれている人もいたし、そこが行き止まりだと思っている人もいた。工場を統括しているのは本社からきた正社員だったけど、その正社員にも、短い期間で本社に戻る人もいれば、もう何十年も工場に居ついている人もいた。同じ工場にいるのに、みんなが違うものを見ていた。たまたまそういう時期だったのか、いや、違うんだろうな。もともとそういう場所だったんだ。もともとそういう場所で、きっとそれでよかったんだ」

みんながてんで勝手なことを言い、てんで勝手なことを考えながら、結果として本社から求められた生産量をこなしていれば、きっとそれでよかったのだ。けれど、私はそのばらばらが耐えられなかった。いや、耐える以前に、そのばらばらは当然に是正されるべきものだと考えていた。

「どうすればもっと働きやすくなるか、どうすればもっといい工場になるか、そんなことをみんなに聞いて回った。最初は冷ややかに見られていたみたいだけど、根気強く続けているうちに、意見を言ってくれる人が増えていった。もう三十年以上、同じ持ち場にいる男の人が工場の動線について意見をくれた。タイから研修に来ていた女の子が、オペレーションの無駄と思える部分を指摘してくれた。私と同期で入った契約社員の男の子が、新人に向けたマニュアルの改訂版を試しに作ってみてくれた。明らかに職場の雰囲気が変わった。君が新しい風を呼び込んでくれたって、長く工場にいたおじさんから言われたときには、あれは、うれしかったな。毎日、仕事に行くのが楽しかった。もっともっといい職場にしてやるって意気込んでた」

工場はより機能的に、より効率的になった。私はそのことをただ無邪気に喜んで、得意になっていた。

「でも、少し考えてみればわかったはずなんだ。入って間もない契約社員の女が少し動いたくらいで、工場のありようが簡単に変わるはずがないってことくらい」

すごい選手が一人入り、チーム全体が、その意識が、そのレベルが、別物のようにがらりと変わる。高校の女子ソフトボール部ならあり得るかもしれない。けれど、私が就職した工場は、もちろん、高校の女子ソフトボール部ではなかった。

「何で工場がより機能的になったのか、より効率的になったのか。それは単純に本社からそう要請されたから。デフレが続く中で、社会全体が生産現場に対してそう要請していたから。私の動きは、その工場の合理化の動きと一致していただけ。風よ、吹けーって指した方向が、たまたま風下だっただけのこと。私が魔法使いだったわけじゃない」

精いっぱいおどけて指先を振りかざした。笑いもせず、森野はただ平淡な表情で頷いた。

生産現場が合理化され、需要が増えなければ、当然、余剰な生産力が生まれる。そしてもはや日本のメーカーに余剰な生産力を抱えるだけの体力などなかった。

「契約の三年目、二十一のときに、ものすごい人員整理が始まった。多くの契約社員や派遣社員が問答無用にクビを切られていく中で、私は契約を延長してもらえた」

辞めていく人に申し訳ないと思う一方で、自分が残るのは当然だとも思っていた。工場の稼働を止めるというのなら話は別だが、工場を動かし続ける以上、そこで働く人員は必要だ。今の半分であっても、今の四分の一であっても、自分の契約は維持されるだろう。

「私はその程度には優秀だから」と私は言った。「自分でそう思っていた。あんな不器用なおばちゃんや、あんな不真面目なおじちゃんがクビになるのは仕方ないとも思っていた。あんな人たちより、それは私のほうが優秀だろう。私が本社の人間でも、私を残すだろうって」

けれど、私が残された理由はそんなことではなかった。私は、都合のいい目印だった。あのように、本社の意図を汲《く》み、効率化、合理化に積極的な人間まで本社は切りはしないのだ、と、工場の人たちにそう思わせるための、いわばマスコットだった。このとてつもない人員整理の波に、自分が飲まれるのかどうか。工場の人たちにとって、私は一つの目安になった。

「その後の職場のことを思い出すと、今でもぞっとする。人間って、こんなにもエゴイストになれるものかって。みんな周りを見ながら、人より少しでも多く仕事量をこなそうとした。困っている人に手を貸す人なんていなかった。困って、仕事が滞れば、次に切られるのはその人。少なくとも、次に切られるのが自分ではなくなる。わざわざ他人の邪魔をする人もいた。そのうち、邪魔をされるほうが悪いみたいな風潮まで出てきた。休み時間でも、つまらないことで口論が起こった。口論が喧嘩《けんか》に発展すれば、見ている人は喧嘩を止める前に、正社員に報告に走った。正社員がやってくるまで喧嘩が続いていればいい。そうすれば次に切られるのはこの二人。自分じゃない」

間抜けなことに、私はそれも自分の責任だと思っていた。自分が工場の合理化を進めてしまったがために、こんなことが起こっているのだと。だから、何とかしようとした。何とかできると思っていた。苦しい状況でも、そこにいるのは人間同士なんだから、話せばわかると。でも、もちろんそんなレベルの問題ではなかった。

「そのころ、私はまだ実家にいた。父と母と妹が一緒だった。職場がつらくて、たまに愚痴ると、優しく励ましてくれた。頑張ってって。それを支えに頑張った。けれど、一年経っても、二年経っても、状況はよくならなかった。そして、契約六年目を迎えるとき、私は本社から工場にきていた正社員の人に呼び出された」

契約の打ち切りだろう。

そう思った。

悔しかった。

工場をこんな風にしてしまったのは申し訳ない。でも、何とかしたいと思って、私なりにこれまで頑張ってきた。契約が打ち切られれば、私の努力はすべて無駄になる。でも……

「正社員にならないかと言われた」

耳を疑った。

この人員整理の嵐の中で、正社員？

それがどういう意味の申し出なのかわからなかった。ただ、その一言でこれまで見ていた景色のすべてが一変してしまった。

誰かのために動いていたつもりだった。もう誰にも工場を去って欲しくない。そう思っていたはずだった。それなのに、私は怖いと思った。仕事を失うことが怖い、と。居場所がなくなることが怖い、と。水を差し出されて初めて、私は喉が渇いていたことに気がついたのだ。誰のためでもない。自分自身のために必死になっていたことに、私は初めて気づかされた。

「私はその話を受けた」

工場のため。契約社員や派遣社員の人たちのため。家族にもそう言った。同僚にもそう言った。頑張ってね、と家族は励ましてくれた。期待してるよ、と同僚は喜んでくれた。

「でも、私に待っていた仕事は、それまで以上の人員整理だった」

君ならばわかるだろう？

本社から出向してきた社員にそう言われた。

君ならば、会社にとって必要な人間とそうじゃない人間とを見分けられるだろう、と。人員整理も長引き、すでに辞めさせるべき人は辞めさせている。何らかの不始末を犯した人や明らかに勤務態度が悪い人から始まり、まだ若くて職場にさほどの執着がない人から、やがては性格的に強く出られず辞めさせやすい人まで、会社は次々と切ってきた。ここから先は、もう辞めさせるべき基準などない。だから、お前が決めろ。

「誰を辞めさせるのか。それを決めるのが私の仕事だった。まだ、二十四の小娘が、四十、五十の人たちのクビを切っていくんだ」

思えば、会社はそこまで計算していたのかもしれない。

自分の娘ほどの若い女に、仕事を辞めてくれないかと言われる。誇りをもって仕事をしてきた人には、これ以上ない屈辱だろう。そして工場にはもう、誇りをもって仕事をしてきた人しか残っていなかった。当初、期待してくれていた同僚たちは、私を避け始めた。

あいつに近づくとクビが飛ぶ。

無論、同じ立場になった正社員の人たちが、私をかばってくれることなどなかった。その役に就かないために、わざわざ私を雇ったのだ。近づくどころか、目を合わせてくれる人さえいなかった。工場の中で、私は完全に孤立した。

「しんどいですね」と森野が言った。

「しんどかったね」と私は頷いた。「何度も辞めようと思った。辞表を書いたこともある。けれど、ここで辞めたら、これまでやってきたことがすべて無駄になる。あの人も、あの人も、あの人も、切ってきたことが無駄になる。そう思って続けてきた」

嘘だ。

私が辞めたところで、どうせ誰かがやるんだろう？　私がどいた正社員の椅子に座って、どうせ誰かが同じことをやるんだろう？　だったら私がやったっていいじゃないか。どこかで私はそう思っていた。そう居直らなければやってられない部分はあったにせよ、そう思っていたのは事実だ。そこまでは森野に言えなかった。

「最初に眠れなくなった。次に食べられなくなった。それから頭痛がして、耳鳴りがして、目まいが始まった。それでも会社へは行った。意地だけで行った」

嘘だ。意地なんかじゃない。怖かったのだ。辞めさせられるのが怖くて、居場所を取り上げられるのが怖くて、私はふらふらになりながらも会社へ通ったのだ。

「それからしばらくすると、逆にやたらと眠たくなった。朝、布団から出られなくなった。自分でも、もうはっきり、これは普通じゃない、病気だって思った。うつ病のこと、ネットで調べてみた。だから医者に行く前に家を出て、一人暮らしを始めた。医者に行けば、同居の家族に注意が行くだろうから。患者をむやみに励ますのはよくないって言われるだろうから。励ましてくれていた家族が傷つくだろうから」

　ふっと人影が差して、私は顔を上げた。マスターがコーヒーを運んできたところだった。

「不景気な顔しちゃって、何？　どうしたの？　相談、乗ろうか？　葬儀屋なんかに相談したって、ろくな答え、返ってこないから」

　私たちの前にコーヒーを置いたマスターは、そう言って本当に森野の横に座ろうとした。

「うっさいな。消えろ」

　そのお尻を容赦なく膝《ひざ》で蹴り上げて、森野がしっしっと手を振った。痛いなあ、とお尻をさすりながら、マスターは席を離れていった。マスターが十分に離れてから、森野が目線で話の先を促した。

「もう全然駄目だった」と私は言った。「最後に自分のクビを切って、私は会社を辞めた。それも会社は計算済みだったと思うよ。自分が壊れる前に、何人のクビを切れるのか。私はたぶん、優秀なクビ切り女だったと思う。会社が期待した倍くらいの仕事はしたんじゃないかな。ひょっとしたらもっとかも」

　ここまでの話はこれまでに何度かしたことがあった。一志にもしたし、親に話したこともあるし、医者にも話した。苦しかったけれど、すでに済んだことだった。だから、相手さえ選べばきちんと話すことができた。ここから先の話は、これまで誰にもしたことがなかった。ここでやめることもできた。けれど、私は話を続けた。

「今、彼と暮らしてる。一人暮らしを始めてから知り合った人。病気のことは黙ってたんだけど、やっぱりすぐにばれちゃった。私を一人にするのが心配で、よく様子を見にきてくれていたんだけど、結局、なし崩しみたいにして、住みついちゃった。いい人だよ。彼がいなかったら、普通に生活することも難しかったと思う。彼がいてくれるから、ちゃんと社会復帰しようと思える。いつも私の調子を気にかけて、いつも優しく見守ってくれる。本気で私を好きでいてくれるのがわかる。それが……」

ずっと言えなかった一言を、私は十年ぶりに会う後輩の前でぽろりとこぼした。

「つらい」

自分の膝の上で、強く握られた自分の拳が小刻みに震えていた。

「すごくつらい。つらくて、つらい。彼から逃げたくなる。彼の目の届かないところへ行きたくなる。彼のいないところに私の居場所なんてないのに、彼にそばにいて欲しくない」

だからもう、どこにも私の居場所はない。身の置き所が、世界のどこにもない。

「ありがとうって、私は彼に笑う。でも、そんなの嘘。嘘なんだ。消えてって思ってる。他に好きな人を作ってって思ってる。朝、仕事に出かける彼を、行ってらっしゃいって見送りながら、腹の中では、この部屋に帰ってこないでって思ってる。もっとひどいことを思っている日もある。もう……」

吸おうと思ったが息を吸えなかった。絞り出すように私は最後の一息を吐いた。

「もう嫌だ」

森野が動く気配がした。顔を上げると、森野がコーヒーカップを口に運んでいた。その森野に、私は言った。

「森野がご両親を亡くしたって聞いた。葬儀屋を継いだとも聞いた。森野は私より不幸だと思った。だから……」

だから、森野だけは私に同情しないだろうと思った。

そう言いかけ、口をつぐんだ。ここまで喋ってきて、今更、森野に嘘はつきたくなかった。

「だから森野にならば同情できるかもしれないと思った。見上げることに疲れたのだったら、誰かを見下げてみたかった。もしそうでもないっていうのなら……」

森野に嘘はつきたくなかった。だからそれ以上は言えなかった。私はまた顔を伏せた。

「うまいですよ、コーヒー」

顔を上げると、森野が微笑みながら、目線で促していた。私は目の前のカップを取り、一口、口をつけた。ほっと一息ついたとは言い難い。けれど、十年ぶりに会う後輩の前で泣き出すなんていう無様な真似《まね》はしないで済んだ。

「本当だ」と私は言った。「顔に似合わず、おいしい」

雑味のないすっきりとした苦味が口の中に残っていた。

「でしょう？」と森野は笑った。「時々、思い出すんです。アネゴのこと。このコーヒーを飲むと」

「私？」

「男前でしょう？」

「え？」

「このコーヒー。味を表現しろって言われたら、男前の味って言うだろうなって、いつも思うんです。口に入れた途端、ガツンとした渋みがきて、それが飲み込んだ途端、深い香りだけを残して、あっさり消えていく。だから、アネゴを思い出します。私が知っている、一番男前の人だから。もちろん、男も含めて」

そう言って笑う森野が、嫌味を言っているようには見えなかった。だとしたら森野はもうあのことを忘れているのか。ひょっとしたら、森野は森野なりにあのころの『アネゴ』にいい印象を持っていて、だから卒業から今までの年月の間に記憶をいいように捻《ね》じ曲げてしまったのかもしれない。

記憶なんてそんなものだ。誰もが都合のいいほうに捻じ曲げて保存していく。けれど、森野にだけはそんな風に間違えた記憶の中に『アネゴ』を生かしておいて欲しくなかった。それはもちろん、私の身勝手なわがままだ。

「男前なんかじゃないよ。私は男前なんかじゃない。今も違うし、あのころだって違った。知ってるでしょ？」

「あ、ええ、そうですね」と森野は頷いた。「確かに、部では一番繊細だったかもしれません。もっとも、他の人ががさつすぎたというきらいもありましたけど」

「そうじゃない」

少しきつくなった声に、森野は笑みを収め、きょとんと私を見返した。

「忘れちゃった？」

私の声は懇願しているように聞こえたかもしれない。

「何をです？」

「森野が一年生のとき、三年生が卒業する間際。最後の練習の、その終わりのとき」

三月の頭。参加する最後の練習を終えた三年生のキャプテンは、締めの言葉を任されたものの、うまく締めることができず、泣きそうな表情を照れたような笑顔で誤魔化しながら、バットを握った。

「それじゃ最後に、うちのエースの全力投球を打たせてよ」

いいね、卒業記念だ。思いっきり投げてよ。

他の三年生たちも同意した。

「いいですよ。遠慮なくいきます。森野、受けてよ」

近くにいた森野に命じて、私はボールを手にピッチャーズサークルに向かった。三年生がバッターボックスの後ろに列を作り、一、二年生たちは、ポジションに関係なく内外野に散らばった。

「本気だよ」

構えたキャプテンに頷き返し、私は全力でボールを投げた。

「誰も打てなかった、あのときですか？」

森野が聞き返した。

「誰も打てなかった。でも一人だけ……」

「え？　誰か打ちましたっけ？　みんな三振か、ボテボテか、凡フライで、ヒット性の当たりは誰も」

「違う」と私は言った。「そうじゃなくて」

私は短く息を吐いた。

「一人だけ打たなかった人がいる」

森野が眉をひそめた。

「打たなかった？　打てなかったのではなく、という意味ですか？」

「そう。私が投げた三球をただ黙って見送った」

「手が出なかったんでしょう？」

「違うよ。手を出さなかったんだ」

「どうして？　わざわざ卒業記念にアネゴに投げさせておいてですか？」

そう。卒業記念。その人にとっては、たった一度の、何ものにも代えがたい打席だったはずだ。あの『ヒナちゃん』が自分に向かって全力で投げてくる。あの『ヒナちゃん』を打ち砕く、最初で最後のチャンス。調子はいいようだ。球も切れている。レギュラー陣たちでさえ、みんな三振か凡打に打ち取られている。もともとはピッチャー志望だ。打力が劣ることはもとより承知している。自分が打てる確信などない。けれど、この一打席。持ちうる力を絞り出して、必ず『ヒナちゃん』を打ち砕いてやる。

彼女は、浦本先輩は、そんな万感の思いを込めて、打席に入ったはずだ。いつもよりグリップを短く握っていた。キッと私を見る目には、ついぞ見たことのない強い光があった。けれど……いや、だから、か。

「その人にだけ、私は全力で投げなかった」

初球。ドロップ気味のボールを彼女は見送った。普段、滅多に投げることのない球種だった。ボールが収まった森野のミットを見て、次に森野の表情を見た。森野からのボールを受けた私に視線をやった浦本先輩は、わずかに戸惑っているようだった。

勘違い？　ただ呼吸を外すための変化球だった？

私は表情を変えず、二球目を投じた。さっきよりは球速を上げている。その球速差のせいで、見ている人はわからなかっただろう。けれど、打席に立った浦本先輩本人にはわかったはずだ。さっきまで投げていた球と明らかに違うことが。棒球。ややライズ気味の力のないファストボールが、ど真ん中近くに投げ込まれる。

浦本先輩が打席を外した。

振らなきゃ当たらないよー。

どんなのにも手を出していくのが、女の意地ってもんでしょが。えり好みしてると行き遅れるよー。

三年生の先輩たちが野次とも励ましともつかない声援を送っている。打席に入り、バットの先をこちらに向けた浦本先輩と私の目が合った。

お願い。この一球だけ。お願い。

浦本先輩の光る目がそう訴えていた。私はその訴えを確かに聞いた。

そして三球目。

二球目と寸分たがわぬ球が森野が構えるミットに収まった。パンと乾いた音を立てたミットに、事情に気づかない三年生たちの、悪意のない野次が広がる。

振っとけよ、一回くらいさー。

もー、浦ちゃんたら、相手が男なら振りまくるくせにー。

「誰も気づかなかったと思う。私と浦本先輩以外は、誰も。もし気づく人がいたとしたら、それはそのときボールを受けていた人」

「私、ですか」

森野が自分を指差した。

「そう。ついでに言うなら、だから森野を指名した」

自棄《やけ》になっていたというのとも違う。私は自分を貶《おとし》めたかった。あのころの『アネゴ』をあるべき場所まで引きずりおろしたかった。自分一人でできないなら、森野の手を借りるしかない。私が森野に会いにきた、最大の理由はそれだ。

「放っておけば、二年生のキャッチャーが座っちゃうからね。どうせお遊びなんだから、誰でもいいやっていう感じで、いかにもそういう感じで、でも本当は森野を選んでた」

私といつもバッテリーを組んでいたのは三年生のキャッチャーだし、投球を教えるために森野にキャッチャー役をやらせることもたびたびあったので、周囲はさほど不審を抱かなかった。それも含めて、計算済みだった。

「どうして？」

「気づいても森野なら言わないと思ったから」

違う。また嘘だ。この口は、放っておくとすぐ嘘をつきたがる。

私は強く首を振った。

「森野なら、言っても大丈夫だから。あのときアネゴは全力で投げなかった。浦本先輩だけには、真面目に勝負してあげなかった。浦本先輩のたった一度のチャンスを、アネゴは冷ややかにせせら笑って踏みにじった。森野がそう言っても、私がそんなことないって言えば、話はそこで終わる」

怒るだろうと思った森野は、あはは、と軽やかに笑った。

「そうですね。間違いないです。きっと私の完敗です。勝負にならないです」

人徳、ないですからね、と笑い続ける森野に、私は聞いた。

「本当に気づかなかった？」

「ああ、いや」と森野は言った。「言われてみて、思い出しました。確かに、受けていて少し不自然には思いました。ただ……」

森野は首を傾《かし》げるようにして考えた。

今から嘘をつこうとしている。私を慰めるつもりだろう。だから私から目をそらした。それが不自然にならないように、首を傾げたように見せている。

そんな私の邪推を易々《やすやす》とかわして、森野はまたぴたりと私に視線を当てた。

「浦本先輩に投げた球が、打ちやすいとは思わなかったです。むしろ、浦本先輩の打席が一番打ちにくい打席だったと思いますよ」

「え？」

私の目を見ながら嘘をつくつもりだろうか。そう思った。けれど、森野の目の中には何の曇りもなかった。

「だって、考えてみてください。それまでアネゴはすべてライズ気味のファストボールを投げてました。アネゴの最も得意としたボールです。レギュラー陣から順に打席に立って、それから内野の控えで、外野の控えだった浦本先輩が打席に入ったのは、十五、六番目くらいでしたっけ。ざっと考えて、浦本先輩は打つ気満々で四十球以上、アネゴのファストボールを見ていたわけです。たぶん、頭の中でイメージを作りながら、タイミングを合わせていたんでしょう。そして満を持して打席に入る。そこに投げられたのが……」

スピードを殺したドロップボールだった。

「あれは打てませんよ。アネゴが普段、使っていた球種でもないですしね。レギュラー陣クラスでも、あの一球は絶対に打てなかったと思います。あの一球で、浦本先輩は完全に混乱した。アネゴの一番得意な球にタイミングを合わせていたのに、くる球はそれとは限らない」

「だったらやっぱり、馬鹿にされたと思ったんじゃない？」

私が狙った通りに、とまでは言わない自分のずるさに吐き気がした。

「思ったかもしれません。でも、浦本先輩は元ピッチャーですよ。同じ球種を続ければ、どんなにいい球を投げても打たれる。打たれて当たり前。そんなことは百も承知だったはずです。受けていた私に言わせれば、あの日、あのとき、アネゴが本気で投げた相手は浦本先輩ただ一人だった」

「違う……」と私は言った。

「ええ。違うんでしょう」と森野は頷いた。「投げた本人が言ってるんだから間違いないです。でも、私にはそう見えました。浦本先輩はどう受け取ったでしょう?」

私は口ごもった。あなただけには打たせない。絶対に打たせない。浦本先輩は、そう受け取っただろうか。

「二球目。タイミングを合わせるなら、今までずっと投げてきた、ライズ気味の速いファストボールです。そちらを待ちながら、遅いドロップも頭に入れておく。浦本先輩は、それくらいのつもりだったと思います。そこにどちらでもない球がきた。見送ったんじゃないです。完全に裏をかかれて、手が出なかったんです。三球目。浦本先輩は、もう狙い球すら絞れない状態だった。たぶん、最後の一球に、今までタイミングを計ってきたファストボールがくるのを待っていたと思います。待っていた、というより、それ以外の球は対応できなかったんです。そしてそれ以外の球がきた。それでも二球目と同じ球です。振ろうと思えば振るくらいはできたと思いますよ。でも、たぶん、スイングをしようとした、その一瞬に、凡打する自分のイメージが浮かんじゃったんだと思います。だから浦本先輩は振らなかった。振る前に諦めたんです。見送って三振するほうが潔く見えると思ったんでしょう。ひどい言い方かもしれませんけど、そんなだからレギュラーになれなかったんですよ」

森野は私を真っ直ぐに見て、淡々と言った。

「ひどいな」と苦笑することしかできなかった。

「無理、無理」と森野は言った。「思い出しました。そうでした」

「え？」

「浦本先輩。そう呟いて笑ってました。無理、無理って」

笑ってた？

「それは……」

「アネゴとは違うんですよ。浦本先輩とアネゴとでは、ソフトボールに対する思いも違うし、ソフトボール部に対する思いも違う。浦本先輩がアネゴを快く思ってなかったことは、さすがに私だって気づいてました。あの場面、アネゴから会心の当たりをすれば、浦本先輩も気分がよかったでしょう。でも、打てるわけない。あの程度の思いでソフトボールをやって、あの程度の思いでソフトボール部にいた人が、アネゴの球を打てるわけがない。かけてもいいです。あのとき、浦本先輩はアネゴから手を抜かれてるなんて思わなかった。そうされても、そう気づくだけの力量が、浦本先輩にはなかったんです。アネゴが百パーセントの力で投げようが、八十パーセントの力で投げようが、浦本先輩にとっては同じ、打てない球、です」

「言い過ぎじゃないい？」

「言い過ぎじゃないです。そう思っても、私は浦本先輩のことをだらしないとも情けないとも思わないです。浦本先輩にとって、ソフトボールと部活とはその程度のものでしかなかったという、ただそれだけの話ですから。ひょっとしたら、あのころ、浦本先輩は、必死に勉強を頑張っていたのかもしれませんし、ものすごく真剣な恋愛をしていたのかもしれません」

　もちろん、と森野は付け加えた。

「とてもそうは見えませんでしたけど」

「やっぱり、嫌ってる」と言って、私は苦笑した。

「そこは否定してないです」と言って、森野はからりと笑った。

　それから私たちは少し思い出話をしながら、男前の味がするコーヒーを飲んだ。久しぶりに私はよく喋り、久しぶりに私はずいぶんと笑った。夕方が夜に変わろうとするころに、私たちはようやく腰を上げた。

　喫茶店を出たところでふと思い出し、私は森野に聞いた。

「中学時代に森野が教師を階段の上から突き飛ばしたことがあるって話を聞いたんだけど、本当？」

「ああ、ええ。そんなこともありましたね」

「何で、またそんなことを？」

森野の落ち着かない視線の意味がわからなかった。どうやら照れているらしいとわかったのは、しばらくしてからだ。

「恋なぞを」

「恋？」

「ええ、ちょっと。してたものですから」

「森野は、恋をすると、教師を階段から突き落とすのか？」

「いや、その、それくらい余裕がなかったって話です」

さっぱり話は見えなかったが、どうやらその教師に恋をしていたわけではなさそうだ。その教師に恋をした相手の悪口でも言われたのだろうか。

「それで、その恋は？」

「ああ、はい？」

「今はどうなってるんだ？」

なぜだろう。私にはその恋がいまだに現在進行形である気がした。少なくとも、森野の中ではまだ錆《さ》びつかずに、きらきらと刃を光らせている。そんな気がした。

照れて右往左往していた森野の視線が不意に定まった。定まった視線はすっと遠くを見据えていた。その眼差しは強く、そして寂しげだった。

恋をするとき、森野はこういう目をするのか。だとしたら、それは、ずいぶん孤独な恋だ。森野はこのままの目で相手を見るのだろうか。だとしたら、相手はつらいだろう。もしこんな目で恋人に見られたら、私ならきっと泣きたくなる。

「さっきのアネゴと同じです」

「何？」

「その人の隣にしか自分の居場所はない。わかっているのに、その人のそばにいたくない」

恋をすればみな同じ、と言いたいわけではなさそうだった。私には私の、森野には森野の、過去があり、今がある。同じ孤独な円の中にいても、私と森野とでは、そこから見ていた風景が違ったように。

「つらい？」

私が聞き、森野は首をひねって、ちょっと笑った。

「わかりません」

「そっか」

私たちがいたのは、ただ孤独なサークルだけではない。仲間の集まりもそう呼ぶのだからソフト部自体が一つのサークルだし、その仲間たちと何度となく組んだ円陣もサークルだ。今の私の周りにだって、幾重にも私を包んでくれる円があるのだろう。そうわかっていても私は、孤独を閉じ込めた円周の前に立ちすくんでいる。

「厄介だよな」

私の呟きに、森野が、ええ、と答えた。

今度、キャッチボールでもしよう。

そう約束して、私は森野と別れた。

そこから急速に病状がよくなったわけではない。それでも、森野と会った日を境に、ただ闇雲《やみくも》にもがいていた真っ暗な水の中で、私はようやく上下の感覚がつかめたような感じがした。あっちは下。あちらへ行ってはいけない。こっちが上。ひたすらこっちを目指していけば、いつか水面に顔を出せる。

そう。いつか、きっと。

そんな思いを抱きながら、私は黄色いテーブルクロスの上に、今日も二人分の夕飯を並べた。

ACT.4

風の名残
～a ghost writer

その広い公園はなだらかな坂道の途中にある。緑の芝生で覆われた広場から坂の上を見やれば、十九世紀の半ばに作られた大聖堂が空に向かってそびえ立つ。きびすを返して南の端まで歩けば、ダウンタウンの先にきらめく湾までも一望することができる。近くの大学の学生たちの間では、最近、この辺りのアパートメントの部屋をシェアして暮らすのが流行し始めた。以前よりも公園内に若者の姿が多く見られるようになったのはそのためだ。暖かな午後を楽しむように、彼らは恋人と、あるいは仲間たちと、芝生に寝そべったり、池の周囲の小道を散歩したり、いくつかあるあずまや風の休憩所でお喋《しゃべ》りをしたりしていた。そんな若者たちの姿をよそに、ジュリアは一人、ぽつんとベンチに座っていた。小道を挟んだ先にある池をぼんやりと眺めている様は、まだ四十代に入ったばかりのジュリアをまるで老女のように見せていた。若いころには日の光を真《ま》っ直《す》ぐ弾《はじ》き返していた金色の髪も、今は輝きをなくしてどこかくすんで見える。池の周りを巡る小道を何人もの若者が通り過ぎていったが、誰もジュリアを気にしていなかった。その若者たちと同じ年齢だったときのジュリアには、すれ違った人が思わず振り返るような魅力があった。ただ美しいというだけではなく、この人とかかわりたいと思わせるような特別な引力があったのだ。

「狙われるなんて、やっぱり考え過ぎじゃない？」

大きなお尻をとうとう芝生につけてランディが言った。

「怪しいやつなんて、どこにもいない」

「お前が家に帰って、買ったばかりのビデオゲームをやりたがっているのは俺も知ってる」と声を抑えた喋り方でマークは言った。「でも、もう少し付き合え。ジュリアを守るのは俺たちしかいないんだ」

待っててやるから、さあ、立て、とでも言うように、マークはアメフトのボールを投げようとするその姿勢を崩さなかった。目線はランディに向けているが、注意を向けているのはその先にいるジュリアの後ろ姿だ。

「ほら」

痺《しび》れを切らしたマークが投げるぞと言うように小さく手を動かし、ランディは渋々立ち上がった。マークのランディに対する評価は二通りしかない。鈍いけど、いいやつ。もしくは、いいやつだけど、鈍い。

白いイヤホンを耳に入れた東洋人の青年が、池の周りの小道を走ってきた。ゆっくりとしたペースで、ジュリアが座るベンチの前を通り過ぎていく。そのあとからは、禿《は》げた男と太った女の二人連れがやってきて、大きく腕を振りながら大股にジュリアの前を歩いていった。逆からは四人の若者たちが楽しげな笑い声を上げて歩いてくる。その若者たちの横をヒスパニック系らしき少年がスケートボードで地面を蹴りながら追い抜いていった。

通り過ぎる人たちに油断なく目を配りながら、マークがランディにアメフトのボールを投げた。試合で使われるようなものではない。一回り小さな、ラバー製のレジャーボールだ。ランディが受け止め損なったボールは地面に大きく跳ねて、角度を変えながら転がっていった。慌ててボールを追うランディの様子に苦笑して、マークは指先で顎をかいた。そこには、古く長い傷跡が居座っている。幼いころに年上の不良たちと喧嘩《けんか》してナイフでつけられたものだ、という噂《うわさ》がハイスクールでは出回っていて、結構な数の生徒たちがそれを信じている節がある。小柄だが、目つきが鋭く、寡黙なマークには、そんな噂を信じさせるだけの変な迫力みたいなものがあるのだろう。うまく人と交われない不器用さと、無愛想な口のきき方のせいで、マークはずいぶん損をしている。そのことに気づいていないわけでもないけれど、自分がどう変われればいいのか、マークにはわかっていなかった。

ようやくボールに追いついたランディが、不器用にボールを投げた。妙な回転がついたボールを両手でしっかりと受け止めると、マークは腕時計に目をやった。そろそろ約束の時間のはずだった。

ランディが構え、マークがボールを投げた。先ほどの白いイヤホンを耳に入れた東洋人が再びジュリアの前を通り過ぎようとしていた。それに気づいて、マークはランディのほうに走り寄った。またうまくキャッチできずに転がったボールを追いかけたランディに短く声をかける。

「あいつ、さっきもきた」

「あいつ？」

ボールを拾って、ランディが顔を上げた。

「アジア人。黒いＴシャツ。白いイヤホン」

「んんん？　二周目だろ？」

のんびりと言ったランディがマークにボールを軽く放った。

「走ってきた方向が逆だ。引き返してきたんだ」

ボールを受けてマークが用心深く動き出し、ランディがそのあとに続いた。東洋人の青年は、ジュリアの前で足を止めていた。ジュリアが気づいて、顔を上げた。彼が耳からイヤホンを抜く。

十分にベンチに近づいてから、マークたちは足を止めた。彼が仮にジュリアに何かをするつもりであっても、こんなに人目のあるところではやらないだろうと考えてのことだ。マークは何気ない風を装って、アメフトのボールを軽く上に放り投げては胸のところで受け止めていた。ランディはジュリアに背を向けて芝生に座り、雲を眺めているかのように首を倒した。東洋人の青年が礼儀正しくジュリアに声をかけた。

「失礼ですが、ミズ・ギルバートのお友達でしょうか？」

「ええ」とジュリアが頷《うなず》いた。「あなたが私の待ち人かしら？」

「そうです」

にっこりと笑って頷いた彼が、名前を名乗りながら右手を差し出した。カンダ、というファミリーネームを聞いたジュリアは、差し出された手を握り返しながら、首を傾《かし》げた。

「それは町の名前じゃなかったかしら。日本にある、本の町。古い本の町。そうよね？」

「よくご存知ですね」

カンダはひどく驚いたようだ。

「日本へ行ったことがあるんですか？」

「いいえ。ガイドブックを読むのが私の趣味なの。東京のガイドブックはお気に入りの一冊だわ」

「ああ、なるほど」

ジュリアは彼にベンチに座るよう促した。

「あなたは、こちらの生まれじゃないわね？」

ジュリアに促されるままベンチに腰を下ろしながら、彼が首を振った。

「違います。日本で生まれた、日本人です。わかりますか？」

「言葉が丁寧過ぎるわ。今どき、あなたのような言葉遣いをする若者はいない。エリーとは？」

「エリー……ああ、ミズ・ギルバート。私は、以前、日本で出版社に勤めていたことがあるんです。海外版権の仕事をしていたんですが、彼女とはそのときに知り合いました」

言いながら、カンダがマークのほうへ視線を向けた。問いかけるように、視線をジュリアに戻す。

「甥《おい》のマークと、その友達のランディ」

ボールをもてあそぶふりをやめて、マークが軽く手を上げた。ランディも軽く頷いた。

カンダが手を上げ返した。

「マークは私の兄の息子。二人とも近所に住んでいたから、こんな小っちゃいころから知ってる。今日はボディガードのつもりらしいわ。私は必要ないって何度も言ったんだけどね」

この会合を邪魔しないこと。そのために、ある程度の距離をおくこと。やり取りに口を挟まないこと。それだけをきっちり確認して、ジュリアはボディガードにつくことを許した。

「彼ら以外に、不審な人物は見当たりませんでした」

カンダの言葉に、ランディは気まずそうに笑い、マークは顔をしかめた。二人はさっきまで彼に気づかなかったが、彼は二人に気づいていたことになる。しかも不審人物として注意もしていた。

「確かかよ」

たまらずにマークが不機嫌な声を上げた。

「確かです」

カンダが答え、ジュリアは会話に入ってきたことを咎《とが》めるような視線をマークに向けた。カンダがジュリアに向けて続けた。

「この公園には一時間ほど前からきていました。周囲に不審な車両はありませんでしたし、ジョガーを装って確認してみましたが、あなたを監視しているような人間は見当たりませんでした」

ジュリアが肩をすくめて、呆《あき》れたように笑った。

「みんな心配し過ぎよ。こんなおばさんが狙われるなんて、本当に思っているの？」

「あなたと会うときには、気をつけてくれ。出版関係者に会うとなると、あなたに危害を加えるものが現れるかもしれない。ミズ・ギルバートにそう言われたときには、さすがに大げさだろうと私も思いました。ただ、原稿の内容を考えれば、一概に思い過ごしと笑うわけにもいかない。確かに、あの原稿は危険です」

「確かに、あの原稿は危険です」とジュリアは繰り返して笑った。「映画のトレーラーの最後のセリフみたいよ。そんなセリフを言う役は、映画の中ではきっと殺されちゃうわね」

少女のようなその笑い声は昔と変わらない。カンダが少し眩《まぶ》しそうに目を細めた。昔からジュリアの笑い声は人を引きつけた。マークだって、ランディだって、小さなころから彼女の周囲をうろちょろしていたのは、近所に住む気のいい姉ちゃんと遊びたかったというのもあるのだが、結局のところは、この笑い声にいつの間にか引き寄せられていたのだ。うれしいとき、楽しいときはもちろん、悲しいとき、悔しいときも彼女はこの笑い声でみんなを励ましていた。

今日はもう、さっさと寝ちゃいなさい。起きたら、ほら、新しい一日が始まっているわ。

眩しそうにジュリアを見ていたカンダが、ふと表情を曇らせた。

「あの原稿ですが、本当に出版するつもりですか？」

少女のようなジュリアの無邪気さに触れて、余計に心配になったのかもしれない。

「ええ。かなうことならそうして欲しいと、エリーにもお願いしたわ」とジュリアは頷いた。「彼のことをみんなに知って欲しいの。彼が優れた作家だったということを。それは彼の妻だった私の仕事でもある」

「事故のことはお気の毒でした」とカンダは言った。

池で魚が跳ねた。ジュリアが目を向けたときには、小さな波紋が残っているだけだった。

「もう一年になるわ」とジュリアは消えていく波紋を眺めながら言った。「一人の優れた作家がこの世から去ったことを誰も知らない。それは正しいことではないと思うの」

それについてカンダは何も言わなかった。ジュリアが何を見ているのかが気にかかったように、そちらに目を向けた。入れ違いに、ジュリアがカンダに目を向けていた。

「エリーはあなたに何を頼んだの？」

あなたは何をしにきたの、と直截《ちょくせつ》に問わないところが、ジュリアという女性だ。そこをわからないまま、見知らぬ青年と待ち合わせてしまうところも。その柔らかさと無邪気さの裏に、芯《しん》の強い頑固な女性が潜んでいることは、彼女と親しい人間しか知らない。

「公正な読者になることです」

しばらく池に向けていた視線をジュリアに戻し、カンダは慎重に言葉を選びながら言った。

「ミズ・ギルバートはあなたとも、もちろんご主人とも親しかった。ご主人、トム・バーリーの自叙伝を客観的に読むことはできない。だから私に読んで欲しいと。私は今はアメリカを拠点にして、翻訳とエージェントの仕事をしています。こちらで出版されたものを日本語に翻訳し、自らが窓口になって日本の出版社に売り込む。そういう仕事です。そういう仕事をしている私の目で読んで、これは本当に出版に値するものか否か。たとえばこれを日本語に翻訳して、日本の出版社に売り込む気に私はなるのかどうか。彼女は私にその判断を求めました」

「それで、あなたはどう判断したの？」

「まだ判断しかねています。ですから、あなたと会えるようにしてくれと、ミズ・ギルバートにお願いしました」

「そう。では、私は何を？」

少し考えた彼は、やがてにこりと微笑《ほほえ》んだ。

「歩きませんか、取《と》り敢《あ》えず」

「いいわ」

二人がベンチから立ち上がった。お互い、次の動作に迷うような目配せがカンダとマークの間で交わされた。

「ついて行くぞ」とマークが言った。

カンダがジュリアを見た。

「彼も原稿を？」

「いいえ。私の知る限り、あれを読んだのは、私とエリーと、そしてあなたの三人だけ。甥は何も知らないわ」

「いいんですか？」

「口は堅い子よ」

「あなたがいいのなら」とジュリアに頷いて、カンダはマークに言った。「どうぞ。行きましょう」

カンダとジュリアが肩を並べ、その少し後ろにマークとランディが並び、四人はぶらぶらと歩き出した。

池を巡る小道を歩きながら、カンダが言った。

「あの原稿は、死後、ご主人のパソコンから見つけたものだそうですね？」

この季節のこの時間には、いつも海に向けた風が吹く。ジュリアは乱れた髪を手で整えて頷いた。

「ええ。彼が亡くなって半年もしたころだった。あの人のパソコンには、いろんな原稿がフォルダわけもされずに放り込まれていたから、ずっと気づかずにいたの」

「ご主人は」と言いかけて、カンダは小さく首を振り、言い直した。「作家のトム・バーリーは、あれを発表するつもりだったのでしょうか？」

「もちろん、そうでしょう。未完だけれど、章立てもされているし、文章も推敲《すいこう》したあとがある。備忘録だったとは思えないわね」

ジュリアは笑いかけたのだが、カンダは笑わなかった。

「あまり気に入らなかったようね」

横を歩くカンダの表情を覗《のぞ》き込むような仕草をして、ジュリアは言った。

いいえ、とカンダは首を振った。

「ご主人の書いた自叙伝は、読み物としては非常に面白いものでした」

その内容を思い起こすように、カンダは宙に目をやった。

「ボストン近郊の中流家庭に生まれた男の子が、茶目っ気たっぷりの悪戯《いたずら》好きな少年になり、運動は苦手だけれど学校でも人気者の明るい青年に育っていく。自叙伝のこの短い冒頭部分が、私は一番好きかもしれません」

「そうなの？」

ジュリアは意外そうな声を上げた。

「作者にとってはおそらく心外でしょう。自分の出自を示したという以外に意図のないパートだと思います。けれど、ああ、どう言えばいいんでしょう、あのパートのトムが一番生き生きと描かれている気がします。近所の同じ年の女の子との淡い初恋の話は、そこだけを抜き出して、フィクションとして新たに書いて欲しいと思ったくらいです」

「そうね」とジュリアは頷いた。「あの小さなトムは、本当に生き生きと動き回っている。好奇心が旺盛で、真っ直ぐで、おっちょこちょいで。実は私もあのパートが一番好きよ。他にもそう感じる人がいるのは意外だったわ」

「あなたもですか？　自分が出てくるところではなく？」

ジュリアは首を振って、恥ずかしそうに顔を伏せた。

「あそこに出てくる私は、綺麗《きれい》に描かれ過ぎている。美化したわけではなくて、あれはトムの悪戯よ。一つのフレーズ、一つの言葉。それぞれをトムがどんな顔で書いていたか、私は目にしていたようにわかるわ。それを読んだ私が、いい女性に描かれ過ぎているのを恥ずかしがる顔を思い浮かべながら書いていたんでしょう」

そうですか、とカンダは微笑み、話を進めた。

「家を離れて西海岸の大学に進んだトムは、新たな友人たちと出会い、小説家を志すようになる。大学を卒業して、ライターになり、貧乏だけれど愉快で希望にあふれる日々を過ごしていた彼は、住んでいたアパートメント近くのダイナーで働いていた女性と恋に落ちる。付き合いが始まり、一年後に、二人は結婚して一緒に暮らし始める。ちょうど同じころ、トムは一人のエージェントと知り合い、人生の転機を迎える」

「天使に誘われ、悪魔と握手を交わした」

ジュリアが呟《つぶや》き、カンダはそれについての言及を避けるようにジュリアから目を逸《そ》らした。二人は黙って歩き続ける。

「それ、何のこと？」

やがて二人の沈黙に耐えかねたように、マークが後ろから声をかけた。

「彼の自叙伝の第一章。その最後に書かれた言葉。私と暮らし始めたトムは、生活のために、そのころに知り合ったエージェントの、エリーの申し出に応じたの」

前を向いたまま、ジュリアが答えた。

「それは……」

「幽霊になることよ」

「幽霊？」

ジュリアがマークの問いかけに応じることはなかった。代わりにカンダがわずかに振り返るようにして、後ろを歩くマークに言った。

「トム・バーリーはゴーストライターとしての仕事を始めました。著名人たちの自叙伝を書くのが彼の仕事になったんです」

「そうだったの？　だって、トムはフリーの記者だって」

声を上げたマークだけでなく、隣を歩くランディも驚いたようだ。

「トムとは親しかったんですか？」とカンダが聞いた。

「まあね」とマークが頷いた。「俺もこいつも、ジュリアには小さいころから遊んでもらっていた。トムと結婚したあとも、二人が暮らし始めたアパートメントは近くだったし、学校帰りによく寄ってたよ。トムはそこで仕事をしていることが多かったから、たまに遊んでもらってた。死ぬ前のころはそうでもなかったけど」

「昔はいい人だったけどね」とランディが呟いた。

マークが睨《にら》んだが、ランディは気づかずに続けた。

「どんどん気難しくなっていって、死ぬ前のころのトムは、いつも不機嫌だったよね。怒りっぽくなってたし、声をかけにくかった」

そこでマークの視線に気づいて、ランディは「何？」と聞き返すような顔をした。気遣うような視線をジュリアの背中に向けて、マークは話を逸らした。

「でも、ゴーストライターをしてたなんて、知らなかったな。記者だとばっかり思ってた」

「記者をしていたのは本当よ。地方紙にも書いていたし、ウェブにも書いていた。でも、そんな収入はほんのわずか。私たちの生活を支えていたのは、彼のゴーストライターとしての収入だった」

「じゃあ、あの一冊以外にも、トムは本を出していたの？」

「ええ。彼の名前じゃない名前でね」

「でも、それだって、記者と同じで副業だろ？　そうやって、小説家になるチャンスをうかがってたんだろ？」

ジュリアがつらそうな表情で口をつぐんだ。カンダが答えた。

「最初はそのつもりだったのでしょう。けれど、彼の書いたものは売れ過ぎました」

カンダは有名な政治家の名前を挙げた。政治家として有名になった男ではない。スキャンダルで有名になった男だ。彼の手記は、その年で最も売れた本になった。

「あれを？　あれを書いたのが、トムだったってこと？」

カンダは続いて、舞台出身の人気テレビ俳優と、今も根強いファンを持つ年寄りのカントリー歌手の名前を挙げた。共通点は、スキャンダルをちりばめた自叙伝がとても売れたこと。

「あの二人の本も？」

足を止め、ほとんどのけぞるようにして、マークが言った。小さなころ、ジュリアと一緒になって遊んでくれていたおじさんに、そんな一面があったことを知って、ひどくショックを受けたのだろう。

やはり足を止めてカンダは首を振った。

「私は今、名前を言っただけです」

「いいのよ」と足を止めないままジュリアが言った。「口は堅い子よ」

そうですか、とカンダは言って足を早め、ジュリアと肩を並べた。

「彼がひどく落ち込んでいたのを覚えているわ。書いてしまったことではなく、それが売れてしまったことに。彼はあんな仕事をするべきじゃなかった」

しばらく呆然《ぼうぜん》と立ち止まっていたマークは、ランディに背中を押され、前を歩く二人との距離を戻した。

「そうですね。彼はそんな仕事をするべきじゃなかったんでしょう」

視線を足元に落とし、歩き続けながらカンダは言った。

「三冊の本を読んでみました。道徳的に言うのなら内容に問題はあるのでしょうが、一つの作品として読んだとき、どれもが素晴らしい出来栄えです。読みやすく、ドラマティックで、面白い。同じ素材を与えられても、あそこまで巧みに書ける人は多くないでしょう。あなたの言う通り、彼には才能があったのだと思います。できることなら、その才能が書いた小説を読みたかった」

「売れたんだったら、金になっただろ？　そのときにやめればよかったじゃないか。やめて、自分のための小説をじっくり書けば……」

口を挟んだマークを、ジュリアももう咎めることはしなかった。答えを譲るようにカンダを見た。

「本の売り上げは莫大《ばくだい》な印税を生みましたが、彼が受け取ったのは原稿料だけです」とカンダが言った。「印税は、当然ながら本人のもとに入ります。彼は幽霊ですから。続けるに従って、ミズ・ギルバートは彼の原稿料が上がるように取り計らっていますが、最後の作品の原稿料でも数万ドルです。もちろん、ライターの原稿料としては破格ではありますが、長く暮らせるほどのお金ではありません」

「搾取されてたんだな」

吐き出すようにマークが言った。

それはどうでしょう、とカンダが少し困ったように言った。

「自叙伝というのは、もともと本人の名前がなければ始まらない話です。トム・バーリーが優れた書き手であることは、我々が読めばわかりますが、それが本の売り上げにどれだけ影響していたかを測ることは難しい。本人たちはあくまで自分の名前で本が売れたものと思っていますから、決められた原稿料以上のものを払わなかったからと言って、彼らを責めるのは酷でしょう。実際、トムもそう理解していたからこそ、その条件で仕事を続けたのでしょうし」

「そんな仕事、さっさとやめりゃよかったんだ」

それはその通りです、とカンダは頷いた。

「けれど、一つの才能に気づいた人間が、それを放棄することはとても困難です。その才能が、社会に大きな影響を与えるようになった場合は特に」

「それはとても肯定的な見方だわ。あまりに肯定的過ぎる」

ジュリアが静かに異を唱えた。

「実際の彼の心境は、もっと殺伐として、荒涼としていた。自分の作家としての才能は、フィクションを書く小説家としての才能ではなかった。彼はそう思い込んでしまった。自らを傷つけるように、彼は幽霊として誰かの人生を書き続けた。まるで何かの依存症患者のように」

「ミズ・ギルバートは、そのことを大変悔やんでいます」とカンダが言った。「ゴーストライターの仕事をさせたのは、結婚したばかりのトムの経済状況を慮《おもんぱか》ってのことだった。が、そんなことは二十代でやめさせるべきだったと。仕事を斡旋《あっせん》し続けたのは、自分の間違いだったと」

「どうかしら。あのころ、もしエリーから仕事を奪われていたら、彼は自分を支えきれなかったかもしれない」

またしばらくジュリアとカンダは黙って歩いていた。

「よくこんな風に二人でここを散歩したわ」

口調を少し柔らかなものにして、ジュリアは隣を歩くカンダに目をやった。

「結婚前も、結婚した後も。ああ、そう、そう。初めてのデートもここだったわね。そのころはまだこんな風に人も多くなくて。二人でこの池の周りを何周もしたわ。彼が書こうとしている小説のプロットなんかをよく話してくれた。せっかくなんだから、読むときの楽しみに黙っていて欲しいって、私は文句を言ったけど、でも、話している彼の横顔を見ながら歩くのは、とても好きだった」

向こうから中年の男性が白い小さなテリアとともに歩いてきた。それまで気取った様子で歩いてきたテリアが、四人とすれ違おうとしたときに、急に甲高《かんだか》い声で吠《ほ》え始めた。マークがテリアからかばうようにジュリアの前に立った。

「失礼」とリードを引き、テリアを抱きかかえながら男性が言った。「普段、あまり吠えないんですが」

「いいんですよ。気にしないで」

ジュリアが言い、男性はなおも吠えるテリアを抱えたまま、足早に歩き去っていった。

「大丈夫?」とマークが言った。

「あれが、みんなが気にしている殺し屋かしら?」と笑ってから、ジュリアは少し不思議そうに周囲を見回した。「私たちに吠えてたんじゃないみたいだったけど」

「きっと機嫌が悪かったんだよ」とランディが言った。「そういう顔してた」

四人はさっきと同じペースで歩き出した。

「その後に、もう二作、ゴーストライターとしての仕事をして、三十代の終わりに、彼は仕事の方向を変えます」とカンダが話を戻した。「彼の原稿では、あなたのアドバイスがあったように書かれていましたが」

ええ、とジュリアは頷いた。

「私は彼を優れた作家だと信じていました。だから、私との生活のために、望まない仕事をしている彼を見ているのは苦しかった。二人で暮らしていくぐらいは何とでもなる。生活のためならやめてくれと、何度も頼んでいました」

「あの原稿を読む限りでは、必ずしも二人の生活のためではなかったように読めます。すでに彼はゴーストライターという仕事にとらわれてしまっていたんではないでしょうか。自分の書いたものが売れる。そこに自分の名前はない。そのことに歪《ゆが》んだ達成感を覚えているようにすら読めました」

「そうかもしれない。彼は自分の居場所をそこだと決めつけてしまった」

「どうして、そんなことに……」とマークが言った。

「自分が本当に書きたい小説を書いて、それが世間から見向きもされなかったとき、自分が感じるであろう絶望の深さを彼は先読みしてしまっていたんではないでしょうか」

最初はマークに語りかけ、途中からジュリアに確認するように、カンダは言った。

「そうね」とジュリアは頷いた。「だから私は、段階を踏もうと思った。すぐに小説を書くのが無理なら、まずは取材したものを書いてみたらどうかと。今まで書いてきたように、誰かの人生を、けれど、今度は誰かの名前ではなく、自分の名前で」

「ノンフィクションノベルを勧めたそうですね。実際の事件に取材しながら、それを小説として再構築する手法。カポーティの『冷血』のような」

「ええ。何よりもまず、彼自身の名前で作品を発表することが先決だと思ったの。一作目で駄目なら、二作でも、三作でも発表すればいい。そこで評価を確立したあと、彼の目標だったフィクションの小説を書けばいい。私はいつまででも彼を支えるつもりだった。私はダイナーで働いていたし、少しくらいは貯金だってあった」

「そして彼は、一九九六年にセントビルのカレッジで起こった銃乱射事件を題材にした。犯人は卒業生。被害者の中には、犯人が在学していたときに担当していた女性教諭がいた。トムは、二人の人生がカレッジで交差し、離れていく様を両者の視点から交互に追いかけた。あれは銃乱射事件ではなく、恋人に去られた男が起こした無理心中事件だった。その結論に至る過程は、読んでいてスリリングでした」

「あれを読んだの？　よく手に入ったわね」

「正直に言うと、苦労しました」

「わずかな部数しか刷られなかったから。ほとんど相手にされなかった。事件の被害者を食い物にした悪質な作り話。唯一の書評では、そう酷評された。自分の名前で書いた唯一の著作の出版で彼が手に入れたのは、その酷評と、女性教諭の遺族との訴訟だけだった。彼はとても傷ついた。二度と自分の名前で作品を発表することはないだろうと、私に言ったわ」

「あれは、面白かったよ」とマークが言った。「俺にも読めたし」

同意を求めてランディを見たが、ランディは肩をすくめることで、読んでいないとマークに伝えた。

その気遣いに感謝するようにジュリアがマークに微笑んだ。

「次の仕事でトムはまたゴーストライターに戻るつもりだったのですね？」とカンダが言った。

「ええ。彼は保守系の大物政治家に雇われた。前に自叙伝を書いた政治家から、個人的にトムの話を聞いていたらしいわ。有能なライターだということで、その保守系の老政治家はトムに執筆を任せることにした。本来があけっぴろげな性格だったのか、それとも年を取って抑えが利かなくなったのか、いいえ、ただの目立ちたがりで、最後に一花咲かせたかっただけかもしれない。とにかく、その老政治家は何十年という政治家生活の中で見聞きした多くのタブーをトムに話した。それを裏打ちする資料も提供した」

「最初はゴーストライターとして彼の自叙伝を書くつもりでいたトムも、そのスキャンダラスな内容に誘惑される。トムはそれを使って、自分の作品を書こうとした」

「最後のチャンスに思えたんでしょうね。老政治家から提供された資料には、刺激的なものも多く含まれてはいたけれど、もちろん老政治家にとって不利なものは一切なかった。トムはもっと客観的な資料を集め始めた。老政治家の名前を使って、多くの資料にアクセスし、様々な人にインタビューを試みた。その動きが老政治家に知れてしまい、彼は契約を破棄される」

「その翌月、トム・バーリーは一人で山歩きに出かけ、岩場から落ちて命を落とす。それが今から一年ほど前の話ですね」

カンダが確認し、ジュリアが頷いた。

「その翌月？　なあ、それって……」

マークがまた足を止めて言った。

「トムは、消されたってこと？　その政治家に？　それ、誰だよ？」

「警察は事故だと判断しました。確かなことはそれだけです」

「その政治家が警察に圧力をかけたんじゃないか？　ジュリアはどう思うんだ？」とマークが聞いた。

「わからないわ。トムは死んでしまった。私にとって確かなことはそれだけよ」

池を半周ほどしたところでジュリアが促し、四人は小道の脇にあったあずまや風の休憩所へ足を向けた。六角屋根の下に円形に組まれたベンチがある。カンダとジュリアが肩を並べて座り、マークとランディは少し離れたところに腰を下ろした。

「トムは自分の自叙伝の最後の章を独立させて、老政治家から聞いた話をもとにしたストーリーを書こうとしていた。けれど、書き終える前に死んでしまった」

カンダが言い、ジュリアが頷いた。

「読んでもらった通り、ほとんど出来上がっているわ。エリーならば、残りを埋めることはできるはず。エリーが自分でやってもいいし、ライターを雇ってもいい」

「けれど、彼女が言うように、あの原稿は危険です」

「私が殺される？」

「冗談ではありませんよ」とカンダは言った。「それくらい衝撃的な内容です。相手はあの老政治家だけではない。最終章には、政財界の大物の名前も数多く出てきます。殺されないまでも、間違いなく訴訟は起こされるでしょう。あからさまに売春組織との関係を書かれている政治家もいるし、ロビイ活動としては度が過ぎた、贈賄ぎりぎりの行為を暴露されている実業家もいます。派手なものにページが割かれて小さな扱いになってはいますが、大麻の話や浮気の話も書かれた本人たちにしてみれば大問題でしょう。政財界の大物たちが、大物弁護士を雇って、一斉に襲い掛かってくる」

「問題ないわ。戦える」とジュリアは言った。「それだけの証拠をトムはちゃんと揃《そろ》えている」

「なるほど」とカンダは頷いた。「けれど実際に、あなたがミズ・ギルバートに原稿を送った直後、家に泥棒が入ったと聞きました。出版の動きを察知した誰かの仕業ではないかと、彼女は心配しています。今回、私があなたに会うのを心配したのもそのためです」

君もそうだろう、と言うようにカンダがマークを見て、マークが頷いた。

その事件は、地方紙で小さな記事にもなった。一ヶ月ほど前、アパートメントの一階にあるジュリアの家に泥棒が入った。犯人はまだ捕まっていない。

「あれは関係ないわ。ただの泥棒よ」

「荒らされたのはトムの部屋だったのでしょう?」

「たまたまよ。トムの部屋の窓が一番、外から侵入しやすい窓だっただけ。トムの部屋はトムが生きていたころのままにしてあるの。デスクの上に置いていた彼の時計が盗まれてしまったことは悔しいけれど、他は荒らされていなかったわ。実際、トムが集めた資料の多くはその部屋にあったけれど、盗まれてはいなかった。他の部屋を探した様子もない。ただの泥棒が、一番入りやすい場所から入って、最初に目についたものを盗んで、見つかる前に出ていった。そう考えるべきでしょう? ちょうど兄の家族、マークたちと食事をする約束があったから、出かけていたのが幸いしたわ。泥棒と鉢合わせていたら、ひどい目にあっていたかもしれない」

「空き巣がさほど多くないこの界隈《かいわい》で、あなたの家がたまたま泥棒に入られたということですか？」

「もちろん、たまたまでしょう」

ジュリアはうんざりしたように言った。

「結局、あなたは、あの原稿は出版しないほうがいいと言いたいの？　トムは記憶されるに値しない作家だと？」

カンダの沈黙は長かった。

「そうですね」

やがてカンダが頷いた。

「少なくとも、このような形で記憶されるべき作家だとは思いません。中途まで、自叙伝としてのあの原稿は確かに面白かった。一人の青年の挫折《ざせつ》が肌を刺すような痛みとともに描かれています。けれど最終章がそれをぶち壊している。あの内容と分量を考えれば、原稿全体が最終章のために存在していると言われても仕方がないでしょう。そう考えると、あれは自叙伝ではない。ただの暴露本です」

「おい」

マークが声を上げた。

「取り消せ」

マークを見たカンダは、きつい視線を平然と受け止め、何も目にしなかったようにジュリアに視線を戻した。腰を浮かしかけたマークをジュリアが手を上げて制した。

「では、そうエリーに言えばいい。私はエリーからそれを聞くことになるんでしょうね。この原稿は出版できないと」

「いいえ」とカンダは首を振った。「私がどう言おうと、ミズ・ギルバートはあの原稿を出版するでしょう。あなたがそれを望む限り」

近い距離でジュリアとカンダが見つめ合った。

「もう一度、質問をやり直していいかしら」とジュリアは言った。「エリーはあなたに何を頼んだの？」

「公正な読者になることです」とカンダは言った。

何かを言おうとしたジュリアより先に、カンダは言葉を続けた。

「だから、私は公正な読者になりました。そして公正にアドバイスした。この原稿に出版する価値は見当たらないと。返ってきたのはため息でした。彼女自身、そんなことは十分に承知していたのでしょう。私に読ませたのは、それを確認するために過ぎない。それでも彼女はあの原稿を出版しますよ。彼女は、彼女自身の財産を使ってあの原稿を本にして、これまで築いてきたエージェントとしての信用を一瞬で失うでしょう。残るのは山のような訴訟です。一人の有望な作家を、図らずも潰《つぶ》してしまった。その罪悪感から、彼女はすべてを背負う覚悟を決めている。私からも一つ質問をさせてください。あなたの望みは何ですか？」

ジュリアはカンダから視線を外して立ち上がると、また小道を歩き始めた。カンダも立ち上がると、今しがたの激しいやり取りなどなかったかのように、その隣を黙って歩いた。二人のやり取りを呆気《あっけ》にとられて見ていたマークとランディも二人の後を追った。

大学生風の男が二人、向こうから小道を歩いてきた。楽しげなお喋りが四人の横を通り過ぎていった。

「今まで、誰かに裏切られたことは？」

手をつないで歩いていった二人が十分に離れてから、ジュリアがカンダに聞いた。

「あるんでしょう」とカンダは頷いた。「ただ、あまり気にしたことはありません。たぶん、裏切られた数と同じくらい私も誰かを裏切っているでしょうから」

「そんな話じゃないわ。誰かから、手ひどく裏切られた経験があるかと聞いているの」

しばらく考え、カンダは首を振った。

「ないと思います。それはトムの話ですか？」

「そう。トムの話よ。トムとエリーの話」

「それは男と女の話ですか？」

「それ以外に、何があるの?」とジュリアは笑った。「その話、エリーから聞いているの?」

「いえ」とカンダは首を振った。

「二人の間にあったのは、エージェントと作家という関係だけではなかった」

「確かですか?」

「ええ。トムはエリーを愛していた。そう思えば、色んなことが納得できる。彼が幽霊として書き始めたのは、私のためじゃない。だって、生活だけならどうにだってなったんだから。彼はまだエージェントとしての地位を確立していないエリーに実績を積ませるため、そのために自分の才能を浪費して、あんな仕事を始めた。それを続けたのもエリーのため。トムのもとには原稿料しか入らなくても、エリーのもとには印税に比例したエージェント料が入ってきた。トムはエリーという女王蜂にかしずく働き蜂だったのよ。その証拠にトムは私とエリーを会わせたがらなかった。それでも、十年を超える付き合いだから、三人で食事をするような機会は何度もあったわ。二人の間には、私が入り込めない何かが確かにあった」

ジュリアが足を止めた。強い風がジュリアの髪を巻き上げた。風に乱れた髪をそのままに、ジュリアはカンダに詰め寄った。

「私が望む限り? 罪悪感から? エリーはそう言ったの? 違うわよ。私の望みをかなえるという言い訳で、エリーは本を出すのよ。エリーにしてみれば働き蜂が最後に運んできた栄養だもの。使うでしょうよ。エリーは、トムの最後の原稿を使って、トムの名誉を最後まで貶《おとし》めるつもりよ。そしてまた金を稼ごうとする。自叙伝の最終章が、あの原稿をぶち壊している？　それはそうでしょう。あの最終章は私が書いたものだもの。トムが集めた資料を適当に読み飛ばして作ったおとぎ話よ。山ほどの訴訟が起こるでしょうね。トムが死んでいる以上、訴えられるのは、出版したエリーよ。せいぜい苦しめばいいわ。名誉も財産も失って、惨めに落ちぶれればいい。私の望みが何かですって？　私の望みはそれよ」

　しばらく誰も口を開かなかった。不意に風が凪《な》いだ。なびいていた旗が崩れるように、ジュリアはその場に膝《ひざ》をついた。

「ええ。私の望みはそれだけよ」

　ジュリアが呟いた。

「ありがとうございます。話してくれて」

　そっとジュリアに近づいたカンダが、片膝をつき、ジュリアに手を伸ばした。しばらくその意味を考えるようにカンダの手を見ていたジュリアは、やがてその手をつかみ、カンダに支えられて立ち上がった。

「今の話、何か、確かな証拠があるんですか？」

「妻の私がそう信じたの。それで十分じゃない？」

ジュリアが力なくカンダを見上げた。何かを言いかけ、うまく言葉にならなかったように、カンダは口をつぐんだ。カンダはしばらく言葉を探していた。けれど、ジュリアは言葉を求めていなかった。すべてを拒絶するようにその場で目を閉じ、ゆっくりと肩を上下させていた。意識して丁寧にやらなければ、うまく呼吸することさえできないというような様子だった。

「俺」

口を開いたのはマークだった。

「トムに頼まれてたんだ。自分に何かあったらジュリアを頼むって」

「何？」

目を閉じ、肩をゆっくりと上下させたまま、ジュリアが聞き返した。

「トムが死ぬ、一ヶ月くらい前から、急にそんなことを言い出すようになった。俺たちには子供がいないから、頼めるのはお前しかいないからって。俺はずっと先の話をしているのかと思ってたんだ。自分たちが年を取って、先にトムが死んで、そんな老後の話かと思ったんだ。今、考えれば、おかしいって思うんだけど、でも、俺、気づかなかった。本当に頼んだぞ。ジュリアのこと、頼むぞって、あんなに言うなんて、変だったのに。俺……」

マークがきっと顔を上げた。

「俺、トムは自殺だったと思う。何がそんなに耐えられなかったのか、俺にはわからない。でも、トムにはどうしても耐えられなくて、頑張ったけど耐えられなくて、だから、最後にジュリアを俺に頼んだんだと思う。ジュリアを残して行くことだけが、トムの気がかりだった。本当は、だったら死ぬことをやめればよかったんだけど、でも、トムには耐えられなくて、それはトムが悪いんじゃないし、トムがジュリアを愛していなかったってことでもないと思う。ジュリア、俺はそう思うよ」

ジュリアの肩の動きが止まった。

「ありがとう」

やがて目を開けてジュリアは言った。

日が暮れ始めていた。先ほどまで凪いでいた風が、いつの間にか風向きを変えてまた吹き始めていた。

「恋人の話をしていいですか？」

海からの風に目を細めてそう言ったあと、カンダは首をひねりながら日本語で何かを呟いた。

「何だって？」とマークが聞いた。

「ああ、恋人と言っていいのかどうか。彼女は怒るのかもしれないけど」

「喧嘩してるの?」

少し落ち着きを取り戻して、ジュリアが聞いた。

「いいえ、喧嘩ということでもなく」

しばらく考え、カンダは首を振った。

「いいんです。恋人です。私の恋人は十八歳のときに事故で両親を亡くしました。私はただ彼女の隣で、何もできずにいました。彼女は一人で両親の死を乗り越えた。いえ、まだ乗り越えていないのかもしれない。とにかく、彼女はただ一人で両親の死と向き合っていました。ずっとあとになって聞いた話です。両親が死に、遺品を整理していたとき、彼女はそこに自分の知らない二人を探していたそうです。父親ではない男としての姿。母親ではない女としての姿。自分でも何でそんなことを考えるのかわからなかった。ただあとになってみると、そのときの自分は、自分を愛していた両親とは違う姿を見つけたかったからじゃないかと思ったそうです。彼女の記憶にある両親は、いつも限りなく自分を愛してくれていた。その二人がいなくなったことを受け入れるために、そうじゃない二人を見つけたかった。いっそ自分を愛していなかった証拠を見つけられれば、どれだけよかったか。そんな風にすら考えたそうです」

ジュリアがカンダを見つめていた。

「似てませんか?」とカンダが聞いた。

「私の妄想？　トムとエリーの間には何もなかった？」

小さく微笑みながら唇をきゅっと結んだあと、カンダはその唇を開いた。

「今は肩の下まであるミズ・ギルバートの長い髪を、顎のラインで切っちゃってください」

「何？」

「そして想像してみてください。どんぐりみたいな茶色い瞳に、いつもハミングしているようなつんと上に尖《とが》った鼻。ドーナッツを一飲みにしちゃう横に大きく開く口。そんな女の子がそこから三十五年分年を取ったら、どんな顔になるかを」

しばらくカンダの目を覗き込んでから、ジュリアが驚きの声を上げた。

「あの女の子？　小さなトムが恋した、あの女の子が、エリー？　そんな偶然って……」

「偶然じゃないですよ。トムは故郷の知り合いから、初恋の女の子がこちらでエージェントになっていると聞いて、連絡を取ったんです。単なる作家とエージェント。それだけではない何かを二人の間に感じたのは、ただの妄想ではありません。二人は幼馴染《おさなな じ》みだった。大人同士が結ぶものとは違うタイプの友情が、二人の間にはあったのだと思います」

「幼馴染み同士のただの友情？　でも、おかしいわ。そこに後ろめたい思いがないのなら、なぜ私に話さなかったの？」

「後ろめたい思いがあったんでしょう。望む小説がものにならないのは仕方ないにしても、副業の仕事すら幼馴染みの女の子に頼まなければありつけない。それをあなたに知られてしまうことは、トムのプライドが許さなかったんだと思います。自分から幼馴染みの君に仕事を頼んだことはジュリアには言わないでくれ。自分の書いたものを読んだ君が、ライターとしての能力を見込んで仕事を依頼したということにしてくれ。ミズ・ギルバートはそう頼まれていたそうです」

「でも、それなら、悪魔だなんて……あれはエリーに誘惑されたという意味でもあるのかと」

「考え過ぎです。悪魔は単にゴーストライターの仕事を意味するんでしょう。小説家になるつもりが、ゴーストライターになっていた自分の身をなぞらえただけだと思います」

深いため息をついて、それからジュリアはそっと笑った。三人に背を向けて池を眺めていたジュリアは、やがて「しばらく一人にして」と呟くと、小道を歩き出した。一人で一周してくるつもりだろう。カンダとマークは、黙って遠くなるジュリアの背中を見送っていた。

「あの、俺、そろそろ帰っていい？」

ランディが言った。友人がそこにいたことを思い出したように、マークが振り返った。

「ああ、いいよ。買ったばっかりのビデオゲームがお部屋で待ってるんだろ？　ああ、付き合ってくれて、ありがとな」

ランディは歩き出そうとしたが、カンダの声が引き止めた。

「ビデオゲーム？　それは、ひょっとして、例の……」

カンダが発売されたばかりの機種の名を挙げた。発売前から話題になっていたハードだ。ランディの顔がぱっと輝いた。

「そう。君もゲームするの？」

「いや、ゲームは全然やらないし、わからないよ」とカンダは言った。

「日本人なのに？」とランディは笑った。

「発売されたばかりの機種だから知っているだけ。あの発売がアナウンスされたのって、半年くらい前だっけ。予約受付が始まったのが、一ヶ月前だった？」

ランディの顔が少し曇った。

「そうだったかな」

「生産が追いつかなくて、今、持っている人のほとんどは事前予約していた人だって聞いたけど、君は違うの？」

「ああ、うん。予約したけど」

「なあ、何の話だ？」とマークがカンダに聞いた。

「いや。ただ、欲しい人は受付開始と同時に予約しただろうし、あの機種は人気があったから、予約に前金を要求される場合が多かったんじゃないかなって」

だから何？　という顔でマークはカンダを見ていたが、ランディの顔は血の気をなくしていた。その顔をじっと見て、カンダは頷いた。

「うん。悪い偶然が重なったんだろう。君はそのときたまたま、ちょっとお金が欲しかった。ジュリアがその日の夜に家を空けることをたまたまマークから聞いてしまった」

「おい。まさか、お前……」

ランディはぶるぶると首を振りながら後ずさった。くるりと振り返って駆け出そうとした瞬間に、マークが背後から抱きついていた。

「違うよ。俺、知らないよ」

ランディを押さえるためにマークがその場に落としたボールを、カンダが片手で拾い上げた。

「誰に売った？」

前を向かせ、シャツの胸ぐらをつかんでマークが聞いた。

「知らないよ。本当だ。信じてくれよ」

「信じてるよ。お前は鈍いけど、いいやつだ。だから、あの時計をジュリアに返してくれ。トム、俺たちに自慢してたよな。これはジュリアからもらったんだって。俺のために何年も何年も少しずつ少しずつお金を貯めて、ジュリアが買ってくれたって。お前だって知ってるよな？　でも、そのときには、そんな高いものが、使われずに放ってあるって、そう思っちゃったんだよな？　今は後悔してるだろ？　ゲームやってて、楽しくないだろ？　教えてくれ。誰に売った？」

「知らない人」

マークに体を揺すられながら、ランディは泣き出していた。

「ネットのオークションで売った」

「連絡はEメールか？　じゃあ、アドレスはわかるな？」

ランディは頷いた。

「連絡しろ。売ったときより高いお金でいい。買い戻させてくれってお願いするんだ」

「だって、そんな金ないよ。部屋に自分専用のテレビも買っちゃったし。オーディオも買ったし」

「ああ、もう」

マークが突き放すように、ランディから手を放した。

「聞いた話だけど」とランディの胸にボールを押しつけながらカンダが言った。「あの機種、品薄で手に入らなくて、オークションでは定価以上で売れるらしいよ」

「売れ」とマークが即座に言った。「俺も、小さいころから貯めてる金が少しくらいはある。それで足りない分は二人で何とかするぞ。レジ打ちでも、皿洗いでも」

胸に押しつけられたボールを取って、ランディが頷いた。

「ごめんよ、マーク。ごめん」

「いいよ。お前はいいやつだ。鈍いけど、いいやつだよ。ほら」

マークが構え、ランディはボールを軽く放った。ぱしんとマークはボールを受けた。すぐに相手に連絡すると言って、ランディは帰っていった。

ランディを見送ると、二人はさっきまでいた休憩所に戻った。カンダがベンチに座り、マークがその隣に座った。

ボールを遠くへ投げるような仕草を何度かしてから、マークはしばらく指一本でボールのバランスを取っていた。やがてボールを両手で持って、マークが口を開いた。

「気づいたんだ、俺。本当は気づいてたんだと思う」

カンダが問いかけるように顔を上げた。

「トムが自殺する気だったの、わかってたんだ。トム、すごい疲れてたし。ジュリアを頼むって、あれだって、本当は助けてくれって、そういう意味だったのかもしれない。どうしてくれっていうことじゃなくても、ただ、助けてくれって、そういう悲鳴だったのかもしれない。でも、俺、気づかないふりしたんだ。どこかで、いい気味だと思ってた。俺にとって、ジュリアは小さいころから憧れだった。でも、トムと結婚してからのジュリアはあんまり幸せそうじゃなかった。だから、ざまあ見ろって。トムが不幸になるのは当たり前だって。だから、トムが助けを求めているのに気づかないふりをしたんだ。でも、俺、本当は何かできたんじゃないかな。トムが死なないように、何かしてあげられたんじゃなかったかな」

「何かできたのかもしれないし、できなかったのかもしれない」とカンダは言った。

「誰にもわからないことだよ」

「この傷」とマークは顎の下を指して言った。「子供のころ、自転車の練習しててて転んでできたんだ。教えてくれてたのが、トムだった。ジュリアと結婚してすぐぐらいだよ。あのころのトムはまだ、そんなひどい状態じゃなかったから。俺が血を流したのを見て、真っ青になってさ。俺を背負うと、医者まで走り出した。俺、あんなに速く走る大人、初めて見たよ。どいてくれ、助けてくれって、喚《わめ》きながら走ってるの。もうわけわかんないよな。医者にも、大丈夫か、治るかって、うるさくして。そうなんだよな。そんなことだってあったのにな」

池を一周してきたジュリアの姿が見えた。ゆったりと歩くジュリアはまだこちらを見ていなかった。

「まだそう思うことがあるって、彼女は言うんだ」

カンダがぽつりと言った。

「何？」とマークが聞き返した。

「両親は自分のことを愛してなかったって、いまだにそう思いたがっていることがある。その感情が、悲しみから逃れるために必要なものだったとしても、きっと自分はいつか、そう思った自分を許せなくなるだろうって」

ジュリアもそうだと思うよ、とカンダは言った。

「いつか、今の自分を許せなくなるときがくると思う。そのときに、そばにいてあげて欲しい。それができるのは、たぶん君しかいないだろうから」

「そう」とマークは頷いた。「うん。わかった」

ジュリアが近づいてきた。すでに顔を上げて、こちらを見ている。

カンダとマークの間をすり抜けて、俺はジュリアに近づいた。何かが気になったように、ジュリアがふと足を止めた。風に乱れた髪に俺は手を添えた。すっとジュリアが目を閉じた。俺はその頬《ほお》に口をつけた。

ありがとう、ジュリア。ごめんよ。さようなら。

ジュリアが目を開けた。その目から涙が零《こぼ》れ落ちていた。

「ジュリア」と驚いて、マークが立ち上がった。

駆け寄ったマークの後ろから、カンダも歩いてくる。

「違うの。変ね」

　ジュリアはマークに微笑み、涙を拭った。

「今、何だか急に、ううん、わからない。何だろう。急に胸が何かに満たされたような、そんな気がして。おかしいわね」

「おかしくないよ、ジュリア」とマークが言った。「そういうときもあるよ」

　もう一度丁寧に涙を拭ったジュリアはカンダに近づいて、顔を上げた。

「会えて、うれしかったわ。ありがとう。エリーにもそう伝えて」

「必ず伝えます」

「それと、あなたの恋人にも」

「ええ、そうします」

　にっこりと微笑み合うと、ジュリアはマークに向かって言った。

「帰りましょう。さっさと寝て、起きたら、ほら、また新しい一日が始まっているわ」

「そうだね」とマークが頷いた。「帰ろう」

　ジュリアとマークが肩を並べて歩き出した。その背中をしばらく見送り、カンダが歩き出した。彼は彼の帰るべきところへ帰るのだろう。いつの間にか公園には人影がなくなっていた。暮れていく公園で一人たたずむ俺の中を、海からの風が通り抜けていった。

ACT.5

時をつなぐ

~ memory

西病棟の面会室まで覗《のぞ》いてみたのだが、山岸《やまぎし》さんの姿は見当たらなかった。

あの不良患者め。

思わず声に出して罵りそうになった。

七十四歳。ステージIの大腸癌《がん》。内視鏡治療も検討されたが、念には念を入れたいという本人の希望もあって開腹手術が行われた。そのオペから時間も経《た》ち、体力は戻ってきている。寝ていてばかりでは退屈だろうし、歩き回りたくなる気持ちもわかる。術後のリハビリと考えるなら、もっと歩き回ってもらってもいいくらいだ。が、山岸さんは、わざわざ検診や回診の時間に合わせて姿を消してしまう。てっきりみんなが手を焼いているのだろうと思っていたのだが、それは私が担当しているときだけに起こることらしい。

「美佳《みか》ちゃんに構って欲しいのよ。放っておきなさいな」

鷹揚《おうよう》な病棟の師長はそう笑うし、担当のドクターもそのことを知っているから私を責めるようなことはしない。けれど、私としてはそれに甘えたくはなかった。

『それが相対評価である以上、自分は優秀な看護師にはなれないし、心優しい看護師にもなれない』

大学で、私はそのことをつくづくと思い知った。さほど大きくない看護大学の、さほど多くない同期生の中にさえ、私が足元にも及ばないくらい優秀な人はいたし、私が呆《あき》れ返るくらい優しい人もいた。だから、優秀さと心優しさとは、ほどほどを心がけることでいいということにした。そんな私が目指したのは、負けず嫌いの看護師になることだった。とことん患者さんに付き合う。患者さんにも負けないくらい患者さんに付き合う。優秀でも心優しくもない私がそこを譲ってしまったら、患者さんの近くにいる意味がない。その思いで看護師を続けて、もう九年目に入った。

西病棟、三階の面会室には山岸さんはおろか、他の人の姿も見当たらなかった。別の場所を探そうと思ったが、咄嗟《とっさ》に足を向ける場所が思いつかなかった。ふと覚えた徒労感は、思いがけない重さで腹の真ん中に居座った。

考えてみれば、そんな私の独りよがりの思い込みが山岸さんを増長させた節は確かにあるのだ。私が探せば探すほど、山岸さんの逃亡範囲は広がっている。最初は同じ病棟内だったのが、今では違う病棟まで探しにきている。そのうち違うフロアにまで進出するかもしれない。そこまで範囲を広げられると、さすがに業務に支障が出かねない。経過もいいし、山岸さんはもうじき退院だろう。そう思えば、ここまで付き合う必要が本当にあるのかと疑問に思えてくる。

私は壁にかかった時計を見た。そろそろ十一時半になろうとしていた。山岸さんは検診や回診からは逃げても、食事からは逃げない。見つけ出せずとも、もうじき勝手にベッドに戻るだろう。

私はがらんとした面会室を見渡した。お見舞いにきた人と話せるように開放されているスペースで、会議に使われるような長細い机がいくつか並んでいる。小さな窓があるにはあるが、開放感があるとは言い難い。ほとんどの人は、面会には一階のラウンジを利用するし、今日のように天気のいい日は中庭に出る人も多いはずだ。

しばらくその場に立ちつくし、病棟に戻ろうかと踵《きびす》を返しかけたときだった。ぎぎっと椅子を引く音がした。目をやると、柱の陰から少女が現れた。ちょうど見えない位置に座っていたらしい。

いや、と少女の顔を見て私は思い直した。わざわざ人から見られにくい位置に座っていた。誰かがきたから、立ち去ろうとしている。そういうことのようだ。少女は暗い表情で俯《うつむ》いていた。

「こんにちは」

私は声をかけた。少女が私を見て、軽く頭を下げた。背は高かったが、体つきはまだ子供の細さだったし、顔も幼い。中学生だろう。

「ここにおじいさん、こなかった？　七十過ぎの、小太りのおじいさんなんだけど」

少女はちょっと首をひねった。

「ごめんなさい。わかりません。私」と少女は柱のほうを指した。「あっちに座ってたんで」

「ああ、そっか。もしきてても見えないよね。うん。ありがとう」

私は、今、人を探していて、ここにその人がいないのなら長居するつもりはない。そう伝えたつもりだったのだが、彼女はそのまま私の脇をすり抜けて面会室を出ていこうとした。

パジャマを着ているのだから入院患者だろう。違う病棟とはいえ、長期入院の患者さんなら顔に見覚えがあってもいい。入院してからそれほどの時間は経っていないはずだ。病気のことを思い煩《わずら》っていたのか。この前まで普通にそこにあった日常から不意に切り離されてしまったことを悲しんでいたのか。多感な時期のことだ。一人で思いにふける時間も必要だろう。

悪いことしたな。

胸の内で、自分自身の間の悪さに顔をしかめたとき、彼女が足を止めた。私を振り返り、確認する。

「ここの看護婦さんですよね？」

「ああ、ええ。もちろん」と私は自分の白衣を指でつまんで言った。「お見舞いにきたコスプレマニアじゃないよ」

私は笑いかけたのだが、彼女は笑わなかった。

「じゃあ、こういう話、知ってますか？　この病院には患者の願い事をかなえてくれる人がいるって」

彼女は真っ直《まっす》ぐに私を見ていた。その真剣な眼差《まなざ》しに少し気圧《けお》されながら私は聞き返した。

「え？」

「死を前にした患者の前に現れて、最後に一つだけ、その人のお願いをかなえてくれる。そういう人がこの病院にはいるって」

彼女が私の目の奥を探っていた。

まだ十代半ば。かなりやせているし、顔色もよくない。かといって、もちろん、それだけで病状を判断することはできなかった。

「いや、知らないけど」とどうにか態勢を立て直して、私は聞いた。「その、死を前にした患者って……」

彼女がすっと自分を指差した。

一瞬、思考が止まった。

何の病気だろう？　この年で死ぬというのなら……悪性腫瘍？　確かにひどくやせているけど、でも、歩き方はしっかりしているし、痛みをこらえている様子もない。この状態から余命を宣告するような病気って、いったい……いやいや、それ以前に、そもそも宣告したの？　こんな子供に？　ドクターは誰？　それとも家族の口から知られてしまったっていうこと？

一瞬ののちに動き出した思考が、雑多な疑問を頭の中に浮かび上がらせた。私の表情は凍りついていたはずだ。

「ああ、イズミちゃん」

その声で我に返った。振り返ると、面会室の入り口に二階堂《にかいどう》さんが立っていた。新人のときにお世話になった、私より十歳ほど年上のナースだ。

「さっきお母さんが探してたわよ」

イズミちゃんと呼ばれた少女は私から目線を切ると、何も言わずに歩き出した。面会室を出て、右手に向かう。それが彼女の病室がある方向なのだろう。その背を見送って、二階堂さんが廊下を逆へ歩き出そうとした。

「あ、カイさん、ちょっと」

私は小走りに駆け寄って、二階堂さんの腕を取った。

「あの、今の子」

「イズミちゃん？」

「ええ。そんなに悪いんですか？」

「よくはないんでしょうね」

二階堂さんの表情が曇った。そういえば、二階堂さんには確か同じ年くらいの娘さんがいるはずだ。

「でも、死ぬって、あとどれくらい……」

「死ぬ？」

廊下に響いてしまった自分の声に首をすくめて、二階堂さんは私を促し、面会室に入った。他に人がいないことを確認して、私に聞く。

「それ、イズミちゃんが？」

「ええ」

二階堂さんは深いため息をついて、首を振った。

「大丈夫よ、死なないから。ただ、そう、それくらい思いつめているのね。無理ないわ」

「何の病気なんです？」

「クローン病」

「ああ」と私は言った。

消化器に慢性的な炎症を起こす疾患だ。そのために下痢や発熱を起こしたり、ひどい倦怠感《けんたい》に見舞われたりする。原因は不明で、根治の方法も今のところはない。いわゆる難病で、国から特定疾患の指定も受けている。薬と食事療法とでうまく付き合っていくしかない病気だ。ひどくなればオペもあり得るが、それも根治を促すものではない。再発する場合がほとんどだし、再手術のケースも多い。直接的に命を脅かしはしないが、この先の生活の中に抱え込んでいかなければならない厄介な病気だ。症状が落ち着いているときには普通に生活できるのだが、それが大した慰めになるとも思えない。まだ十代の少女にしてみれば、肉体的にだけでなく、精神的にも相当に負担だろう。

「今は少し落ち着いたけど、入院当初は症状がひどくて、食事がとれなかったらしいの。しばらく点滴を入れてたんだけど、流動食に変えて、そろそろ普通食にしようかっているところみたいね。科が違うから私も詳しくは知らないんだけど」

考えてみれば、二階堂さんは、今、内科ではなく産婦人科を担当しているはずだ。その割には、ずいぶん詳しく知っている。二階堂の「カイ」はお節介の「カイ」。私を指導してくれていたころからそう言われていた。相変わらずのカイさんなのだろう。

「だいぶよくなってはいるんですね」

「ええ。でも完全に治る病気じゃないだけにね」

そう言って二階堂さんはイズミちゃんが立ち去ったほうを見やった。

私はさっきのイズミちゃんの言葉をもう一度思い起こした。

『死を前にした患者の前に現れて、最後に一つだけ、その人のお願いをかなえてくれる。そういう人がこの病院にはいるって』

根治療法のない難病なのだから、余命を宣告された患者と同じような立場、というつもりだろうか。理屈に合わない気はしたが、二階堂さんの言う通り、それくらい思いつめているということなのかもしれない。病棟が違うから看護でかかわることは難しいが、勤務前後に機会をうかがって、それとなく声をかけてみることぐらいはできるだろう。

それにしても妙な噂《うわさ》だ。

改めてそう思った。

死を前にした、という言葉がショッキングで気を取られてしまったが、話全体を眺めてみれば、どこか間が抜けた、奇妙な怪談にも思える。

「そういえば」と二階堂さんが私に視線を戻して言った。「こっちの病棟で何してるの？」

「あ」と言って、私はまた壁の時計を見た。とっくに十一時半を過ぎていた。「戻ります」

「相変わらずね」

苦笑した二階堂さんに一礼して、私は自分の持ち場の東病棟へ戻った。

その日の勤務は七時で終わった。夜勤の担当者に申し送りを終えると、私は私服に着替えて西病棟へ行ってみた。「イズミちゃん」の本名は橋本《はしもと》泉美《いずみ》。十五歳。中学三年生。発症は一年ほど前で、ずっとこの病院の外来に通っていたが、今回、症状が悪化して入院となった。西病棟の内科を担当している何人かのナースからそんな話が聞けた。

病室は六人部屋だった。イズミちゃんのベッドはカーテンで覆われていた。病室の前を通りかかったとき、たまたま目が合って、という展開を考えていたのだが、どうやら難しいようだ。昼間にも一人の時間を邪魔してしまったことを考えれば、わざわざそのカーテンを開けるのも気が引けた。

夜には高校時代の友人と会う約束もあった。また自然な機会をうかがおうと、私は病院を出た。

私の通った高校は、進学校としてそこそこに名の通った女子高だ。ほとんどがそれなりに名高い大学へ進み、多くが割合に名の知れた企業に就職した。医大へ進んで医者になった同級生は何人かいるが、看護大へ進んで看護師になったのは私だけだった。看護大への進学希望を表明したとき、「どうせなら医者を目指しなよ」と言ってきた多くの同級生とはずいぶん疎遠になってしまったが、「ああ、何かわかるかも」と頷《うなず》いてくれた三人の同級生とはいまだに付き合いが続いている。四人で集まるときの居酒屋は決まっていて、月に一度ほどのペースで、誰か一人が昼ごろに突然、スタート時間を指定したメールを送りつけてくる。いきなりのことだからこられなくても恨みっこなし、のはずなのだが、これまでの会合は結構高い出席率を誇っている。互いへの固い友情を喜ぶべきか、互いの退屈な日常を嘆くべきかは難しいところだ。

私が店についたとき、指定された時間から一時間ほどが経っていた。顔なじみになった店員が、のれんで仕切られた半個室のような席に案内してくれた。郁恵《いくえ》はすでにパンプスを脱ぎ、長椅子に胡坐《あぐら》をかいていた。有名な飲料メーカーに就職して研究所で商品開発をしている。仕事柄、フォーマルな服装は求められないらしい。今日もジーンズにブラウスという大学生みたいな恰好《かっこう》をしていた。

「何杯目？」

奥にずれてくれた綾子《あやこ》の隣に座りながら私が聞くと、郁恵は、二杯目、と答えた。

「あら。意外にスローペース」

「焼　酎《しょうちゅう》は、だよ」と綾子が笑った。「焼酎は二杯目。その前に中ジョッキを二杯に、日本酒を三合」

綾子は大手の保険会社に入り、今は総務部にいる。いつも決して派手ではないが、質のいい服を着ている。今日はすっきりとしたパンツに淡い色のジャケットを着ていた。

「だって、日本酒は二人で飲んだじゃない」と郁恵が口を尖《とが》らせた。

「あ、それ、二人で半分ずつ飲んだように聞こえる」と綾子が言った。「私は、一口、味見しただけでしょ」

「二人で飲んだことに変わりない」

郁恵が反論にもならない反論をする。

「わかったから、箸を振り回さないでよ」と私は言い、やってきた店員にビールを頼んだ。「今日は、メグは?」

私が聞くと、郁恵と綾子が一瞬顔を見合わせたあと、同時に言った。

「男」

「デート」

二人の顔を見比べてみた。苦い顔を作ってはいるが、その一枚裏ではにやけている。どうやら冗談ではないらしい。先月に郁恵の誕生日がきて、みんなが三十一になった独身女子だ。ついでに揃《そろ》って男運が悪い。というよりそもそもあまり縁がない。友人の幸せを手放しで喜ぶのでは嘘《うそ》っぽすぎるし、実際のところ嘘になる。かといって、そこに素直な喜びがないわけでもないし、やったね、と称賛したくなる気持ちもわずかだけれど確かにある。スペックを比べるなら似たような友人の、誰か一人が男と幸せになれるのなら、それは自分にもその可能性があるということでもある。とはいえ、その幸せは今の自分の境遇とは両立しない幸せであるような気もして、それを求めることは今の自分を否定しているようにも思えてしまう。あれやこれやと色んな感情が入り混じって、仲間の一人の幸せに、私たちは胸でにやりと笑いながら、表面上は苦い顔をして憎まれ口を叩《たた》くことになる。

たぶん二人と同じ表情で、ちっ、と私は舌打ちした。

「メグに男って、久しぶりだね。前のは、銀行員だっけ？　別れたの、いつだっけ？」

「信用金庫よ。かれこれ二年くらいじゃない？」と郁恵が言った。「このメンチ、うまいよ」

「そんなになるっけ？」

押し出されたメンチカツに箸を伸ばして、私は言った。

「付き合っているときにメグに頼まれて入った三年定期がこの前満期になったから、うん、そんなもんじゃないかな」と綾子が言った。

「今回のとは、どこで知り合ったって？」

「果敢にも、お見合いパーティ」

「おお、勇者だね。相手は？」

「聞いて慄《おのの》け、パイロット」と郁恵が言った。

「パイロットがお見合いパーティ？　そっちに慄くわ。どんなやつ？」

「バツが一つで干支《えと》が同じだって」と綾子が言った。

「バツが許せれば、四十三はギリセーフかな」

「誰が四十三？」

ちょこんと綾子が首を傾《かし》げて笑う。

「だって」と私は言って綾子を見つめ、郁恵に視線を移した。口からメンチカツを吹き出しそうになった。「ええ？　五十五？」

「君ならどうする？」

郁恵が私の前で箸をくるくる回した。

「ちなみにの参考資料」と横から綾子が自分のスマホを差し出した。「パイロットの平均年収」

今、検索した様子はなかったから、私がくる前までこれが話題だったのだろう。そこに書いてある数字を見て、私はうなった。うちの病院はナースに手厚いとされているほうだが、それでも私の年収の三倍近い数字だった。

「さあ、どうする、どうする？」

また郁恵が私の前で箸を回す。

「長生きしないと約束してくれるなら、お願いします」と私は頭を下げた。

「ひどいな」と郁恵が笑った。

「だって二十四も年上でしょ。下手《へた》に長生きされても大変だよ。五十代を丸々旦那《だんな》の介護にささげることになるかもしれない。親ならともかく、五十代で旦那の介護は切ないわ」

「ナースが言うとリアルだねえ」

「パイロットもいいけど、医者はどうなのよ。適当なお医者はいないの？」

スマホをしまって綾子が言った。

「ドクターはいい。勤務時間でお腹いっぱい。プライベートまでドクターと過ごしたくない」

「だったら、患者さんとか？」

「そうだよ。死にかけの金持ち、いないの？」

「死にかけって、あんた」

あっけらかんと聞いた郁恵に悪意があるわけもないが、生と死がリアルに隣合せている職場の人間からすると、ちょっとどきりとする言葉だ。金持ちかどうかは知らないが、病院には「死にかけ」の人間は大勢いる。多くの場合、それは自然な状況で、だから、私はいつしか無意識に考えている。自分もいつかその中に加わるのだと。私に限らず人はみな、いや、人に限らず生き物はみな、同じ道を同じ方向へ歩いているのだと。理屈で考えるなら当たり前だ。当たり前のその理屈を、けれど普通に意識して暮らしている人は多くはないだろう。そんな意識を生活の中に持ち込めば、何かが揺らぐし、何かが歪《ゆが》む。

それからはお互いの職場についての愚痴がしばらく続き、他の同級生たちの近況に話題が移った。最近の男性俳優の品評会が終わるころには、私も一時間のハンデを乗り越えて、二人と同じくらいに酔っていた。

「もしもさあ。もしも、そうだな、たとえば、来月。来月にしよう。もしも来月に死ぬとして」

自分が十分に酔っていることを漠然と自覚しながら、私は二人の酔っ払いに聞いた。

「その前に、何か願い事が一つかなうとしたら、何を願う？」

投げ出すような二人の答えが重なった。

「男」

「彼氏」

「欲求不満の昼下がりの人妻みたい」と私は笑った。「オスなら何でもいいって感じだよ」

カラだとわかった枝豆の鞘《さや》を郁恵が投げつけてきた。

「あんたはどうなのよ」

言われなくても考えていた。昼にイズミちゃんと別れてから、頭の片隅でずっと考えていたような気がする。

「それがさ、よくわかんないの」

何だよ、人に聞いておいて、と郁恵がぼやいた。

「頭で考えるからわかんないの。人生最後の願い事よ。大脳なんかに頼らないで脊髄《せきずい》反射で答えなさい」

綾子が言うので、そうしてみた。

「何を願う？」

「王子様」

「王子様ときたよ」と郁恵が笑った。

「一番、重症ね」と綾子も笑った。

そうかもしれない、と大きなあくびをしながら私は頷いた。


それから二日後の夜のことだ。夜勤だった私は、二回目の巡回のとき、山岸さんがベッドにいないことに気づいた。その時点でもう嫌な予感はした。けれど、午前一時だ。いくらなんでもこの時間にかくれんぼはないだろう。

……ないですよ、ねえ？

胸の内で呟《つぶや》きながら、一番手近のトイレを覗き、私はため息をついた。人の気配はなかった。巡回の続きをしながら確認してみたが、面会室にも誰もいなかった。途中のトイレもすべて覗いてみたが、無駄だった。自動販売機前の休憩所にも、エレベーターホールにもいない。給湯室や配膳室の鍵《かぎ》はちゃんとかかっていた。他の病室に忍び込んだのでない限り、山岸さんは東病棟の三階フロアにはいない、ということになる。私はナースステーションに戻り、同じく夜勤に入っていた同僚のナースにそう告げた。

「朝、私から注意しておきます。美佳さんが言うと、調子に乗るだけだから。私から、少しきつめに」

圭《けい》ちゃんという二つ年下のナースは、憤然としてそう言ってくれた。

「軽く探してみる。そんなに長くはあけないから、少し頼める？」

「いいですけど、山岸さんの思う壺《つぼ》じゃないですか？」

「そうね。完全に思う壺」

「美佳さん、優し過ぎます」

「違う。負けず嫌いなの」

勝ち負けなんですか、それ、と圭ちゃんは笑った。

「じゃ、ここから応援してます」

「よろしく」

もとより夜勤の看護師にそれほど暇な時間はない。二十分だけと決めて、私は歩き出した。深夜だ。他の病室に入るわけにはいかないだろうし、フロアをうろうろしていればナースに見とがめられる。行き先は、ナースのいない一階か、でなければ、外だろう。

私は階段で一階へ下りた。途中、手すりから身を乗り出して上下を眺めてみたが、階段室に山岸さんが隠れている様子はなかった。深夜の出入り口になっている裏口に回り、そこの守衛さんに聞いてみたが、山岸さんは外へは出ていないようだった。

私は一階フロアを見て回った。どこも明かりが落ちていて、薄暗い。コンビニのシャッターも降りていたし、ソファーがいくつか並んでいるラウンジは外来が終わる時間になるとベルトでつなぐポールに囲まれる。一跨《ひとまた》ぎに乗り越えられる高さではあるが、まさかそこまではしないだろう。遠くにある常夜灯の明かりだけを頼りに目を凝らしてみたが、外来受付前のずらりと並んだベンチにも山岸さんが潜んでいる様子はなかった。

懐中電灯を持ってくればよかった。

そう後悔しながら、私は会計の待合を覗いた。

いた。

ベンチの黒い人影にホッとして声をかけようとした次の瞬間、私は口をつぐんだ。人影の形が、明らかに山岸さんではなかった。

誰？　線の細い、髪の長い、あれは、女？　まるで怪談話に出てくるような……

背筋に小さな震えが走った。

「ああ」

その横顔が確認できる距離まで近づき、私は安堵《あんど》の声を上げた。

「イズミちゃん」

慎重に近づいたから、私の気配は感じられなかったのだろう。イズミちゃんは、文字通り、飛び上がるほど驚いた。椅子からお尻を浮かし、体勢を崩してよろけたイズミちゃんに私のほうが慌てた。

「あ、ごめん。驚かせたね」

「ああ、看護婦さん。ああ、はい。驚いた」

イズミちゃんは鼓動を鎮めるように自分の胸に手を置き、ごくりとつばを飲み込んだ。

「ごめんね」と私は繰り返し、イズミちゃんの隣に座った。「本当にごめん。大丈夫?」

「大丈夫です」

イズミちゃんは、ふうと長く息を吐き出してから頷いた。

「こんな時間に、何してるの?」

浮かんだ疑問を素朴に口にしてから、無邪気に問いかけている場合ではないと思い当たった。

「早く病室に戻りなさいな。ベッドにいないのがわかったら、担当のナースが心配するわ」

「ちゃんと言ってあります」とイズミちゃんは言った。「隣の人のイビキがうるさくて起きちゃって、目が冴《さ》えちゃったから少し下にいるって、すぐ戻るって、そう伝えてありますから」

「ああ、そう。それならいいの。うん」と私は頷き、思い出した。「ここにどれくらいいる？　おじいさん、見かけなかった？　七十過ぎの小太りのおじいさんなんだけど」

暗がりの中で私を見返したイズミちゃんが、ぷっと吹き出した。

「この前も探してましたね、その人」

「ああ、そうね。うん。そうだったね」と私も苦笑した。

「徘徊《はいかい》とか、そういうことですか？」

「そうじゃないの。頭はしっかりしてる。ただのかくれんぼマニア」

「かくれんぼマニア？」

しばらくそういうマニアの生態について思いを巡らせたようだ。が、やがてイメージすることを諦めたようにイズミちゃんは首を振った。

「看護婦さんも、大変なんですね」

ちょっと大人びた口調が、中学生の女の子らしかった。暗がりが安心させたのだろうか。イズミちゃんは、この前より少しだけ無防備に、普段の表情を見せてくれている気がした。

「そんなことないよ。何にしたって大変なのは患者さんのほう」

ぶうん、という低いうなりは、遠くの自動販売機のものか。それとも違う機器が発しているのか。それ以外に音はない。空調の切られた一階フロアの空気は、他のフロアの空気より少し湿度を帯びて肌にまとわりつくような気がする。たぶん、イズミちゃんはまたここで物思いにふけっていたのだろう。悪戯《いたずら》で姿を隠している山岸さんよりも、イズミちゃんのほうが心配になった。

「この前の話」

「え？」

「ほら、お願い事。死ぬ前に一つだけかなうって」

「ああ、ええ」

「あれから妙に気になっていろいろ考えてみたんだけど、思い浮かばなくて。イズミちゃんなら何をお願いするの？」

緩んだ紐《ひも》をきゅっと結び直した。そんな気がした。それまで気配を消していた緊張感が、くるりとイズミちゃんを包んだ。

珍しい経験ではなかった。私は看護師だ。看護師という立場をもって、相手に踏み込もうとする。相手は患者さんだ。甘えてくれればいい。そう思う。けれど、その人にとって患者とは一過性の状態であって、職業でもなければ属性でもない。そう易々《やすやす》と私に心を許してくれなくても無理はない。そうしてくれる人もいるが、そうしてくれない人だって、もちろんいる。

「ああ、いや、本当は一つだけ思いついた」

閉ざそうとするイズミちゃんの気配には気づかなかったように、私はあっけらかんと言葉を続けた。

「あれは我ながら恥ずかしかったな。友達とお酒を飲んでて、酔っ払って、あなたなら何をお願いするのって聞かれて」

私はイズミちゃんを見た。聞きたい？　ね、聞きたい？　そんな目をしている三十代の看護師を少し持て余したように見返したあと、イズミちゃんが言った。

「何て答えたんです？」

「王子様」と私は言った。

「は？」

イズミちゃんが素できょとんとした。

「お、う、じ、さ、ま」

「プリンス？」

「イエス」

少しの間のあと、うふふふん、とイズミちゃんが鼻から息を漏らした。

「いや、そこは普通に笑ってくれていいから。無理に我慢されると微妙に傷つくし」

「彼氏とか恋人じゃなくて、王子様なんですね」

くすくすっと笑いながらイズミちゃんが言った。

「だって、最後のお願いだもの。最後くらい身分不相応な恋がしたいです」

「身分って何ですか」

イズミちゃんはとうとう口を開けて笑った。何だろうね、と自分でも笑ったとき、胸ポケットから提げた時計に目がいった。うちの病院では衛生上の理由で腕時計が禁止されている。多くのナースはナースウォッチと呼ばれるチェーンがついた時計を胸のポケットや腰のベルトにつけている。時計は、私が一階に下りてきてから十五分が経ったことを示していた。取《と》り敢《あ》えず今日は話せただけでも収穫とするべきだろう。

そろそろ戻ろうよ。

そう声をかけようと思ったとき、隣でイズミちゃんがふっと緩む気配がした。私は咄嗟に言葉を飲み込み、イズミちゃんが口を開くのを待った。

「私なら」

イズミちゃんはこちらを見ないまま、呟いた。

「消してくださいって頼むかな」

こちらを見たら聞き返すつもりだった。けれどイズミちゃんが私を見ることはなかった。

「みんなの頭にある私の記憶を全部消してくださいって」

こちらを見られても、何も聞き返せなかっただろう。

戻りますね。

結局、私の顔を見ることなく、イズミちゃんが立ち上がった。

「ああ、うん」

私がようやく声を出せたときには、イズミちゃんは私に背を向けて歩き出していた。

「気をつけてね。おやすみ」

足を止めて微《かす》かに私を振り返り、おやすみなさい、と言うと、イズミちゃんは階段のほうへ歩いていった。


それで、と私は言った。

「昨夜はどちらへご出勤で？」

うわっ、怒ってるよ、と山岸さんは笑った。

探索開始からきっかり二十分で私がナースステーションに戻ったときにはもう、山岸さんは病室に戻っていた。どこからともなく帰ってきましたよ、と圭ちゃんが呆れ顔で教えてくれた。その時間に病室に訪ねていってどこへ行っていたかを問いただすわけにもいかず、私はこの朝の検診を待った。

「怒ってません。今朝の検診にはこうしてわざわざいてくださったんですから、感謝しているくらいです」

「すげえ怒ってる。それじゃ正しい値が出ないよ。脈拍も早くない？」

「血圧、脈拍ともに正常です」

デジタル式の血圧計を山岸さんの上腕からほどきながら、私は言った。はい、と突き出した私の手に、山岸さんが脇から抜いた体温計を載せる。

「平熱ですね。問題ないです」

「なあ、俺、そろそろ退院？」

「私が決めていいなら、今日中にでも出して差し上げたいです。何なら今すぐにでも」

腕を組んで、しばらく見つめてみたが、山岸さんはへへへと笑うだけだった。どうやらどこへ行っていたかを喋《しゃべ》る気はないらしい。

「またいなくなっても、もう私は探しませんから」

「うん。オッケー。了解」

親指と人差し指で丸を作った山岸さんに、それ以上何か言う気も失せた。

「お大事に」

言い捨てて私は山岸さんのベッドを離れた。

朝の検診を終え、日勤のナースに申し送りをして、私服に着替えると、九時を回っていた。西病棟へ向かうか、このまま帰るか、私はしばらく考えた。あまり間を置かないほうがいいだろうとは思った。夜にはあれだけ喋ってくれたのだ。今、行ったほうがいいのは明らかだった。そもそも普通食に切り替わったのだったら、退院まではそう長くはないだろう。一両日中に出てしまうことだってあり得た。それでも気が進まなかった。

こちらの心配などお構いなく、能天気にオッケーサインをした山岸さんを思い出した。

私は余計なことをし過ぎているのかもしれない。

そう思った。

同じスタンスで仕事を続けてきたからといって、ずっとそのスタンスで続けなければならないということもないだろう。野球やゴルフの世界と同じように、ベテランになればフォームを変えることだって必要なのかもしれない。どの道、今日は夜勤明けだし、疲れている。

私は一階へ下りて、正面出口へと足を向けた。ぷらぷらと歩いていると、先のほうから二階堂さんの声が聞こえた。

「あら、退院ね。おめでとう」

顔を上げた。やはり正面出口を目指してきたのだろう。向こうから歩いてきた二人が、二階堂さんに頭を下げていた。短く言葉を交わし、二人がまた正面出口に向けて歩いてくる。足を止めたのは、二人を見知っていたからだ。二人とも、中学の同級生だった。私にとっては思い出深い二人だ。入院していたとは知らなかった。私に気づくだろうか。気づかれたら、何て声をかけたらいいだろう。

けれど二人は私に気づかなかった。私も自分からは声をかけなかった。正面玄関を出て、外の世界に消えていく二人を私は黙って見送った。自然と笑みが漏れた。

そうだ。病院は外の世界に向かって新しい一歩を踏み出すための場所だ。私はそこで働く負けず嫌いの看護師だ。今日は夜勤明けだし、疲れている？

「嘘つけ」

自分に呟くと、私は正面玄関を素通りして、西病棟へと足を向けた。

イズミちゃんのベッドは今日もカーテンで覆われていた。

「イズミちゃん、いい？」

私は声をかけた。

「え？　あ、はい」

イズミちゃんの返事を待ってカーテンを開ける。

「ああ、看護婦さん」

「うん。今日は西田《にしだ》さん」

「はい？」

「西田美佳。よろしく」

「ああ、はい」

「散歩のお誘い。今、忙しい？　今日は検査とかあるの？」

「いえ。検査は何もないです。今日一日様子を見て、問題がなければ、明日には退院していいって」

セーフ、と口に出しそうになった。明日、ここにきてみたら、イズミちゃんはすでに退院していたかもしれない。していなくとも、話をできる時間は作れなかっただろう。

「そう。よかったね」

周囲の患者さんの耳を気にして、私は声を抑えて言った。

「おめでとう」

「ああ、どうも」とイズミちゃんは歯切れ悪く返した。

退院とはいえ完治したわけではない。イズミちゃんにしてみれば複雑な心境だろう。

「少し散歩しない？　天気いいし」

「ああ、はい」

あまり乗り気ではなさそうだったが、強引に誘った。

「ちょっとでいいよ。気分転換に、どう？」

「じゃあ、下のコンビニまで。雑誌、買いたかったし」

「うん。いいよ。行こう」

イズミちゃんはベッドから降りて、枕元にあったカーディガンを羽織った。私たちは連れ立って病室を出た。

「退院したら、まず何をしたい？」

廊下を歩きながら、私は聞いた。

「さあ」とイズミちゃんは言った。「特に何っていうこともないです」

答えをはぐらかされたのかとも思ったが、そういうことではなさそうだった。本当にしたいことが思い浮かばなかっただけらしい。

「部活は？　何かやってないの？」

東病棟のほうへ足を向けながら、私は聞いた。一階にあるコンビニは東病棟のエレベーターで行ったほうが便利だ。

「今は、やってないです」

「今は？」

「前はバスケ部に入ってたんですけど、病気がわかってから、やめちゃって」

「ああ、そっか。でも、できないってことでもないでしょう？　担当のドクターに相談してみたら？」

「いいんです。もう受験ですし」

「そうか。三年生だもんね。志望校、決まってるの？」

「ええ、志望校っていうか、行ける公立に行くだけですけど」

エレベーターを使うつもりで階段の前を通り過ぎようとした。が、見覚えのある背中に、私は慌てて一歩を戻して身を隠した。きょとんとイズミちゃんが私を見る。私はそっと顔だけを突き出して階段を見た。山岸さんのものに思えた背中はもういなくなっていた。下へ向かうならともかく、上に向かうというのは解せない。この三階より上のフロアには、病室があるだけだ。どことなく人目をはばかるような山岸さんの様子も気になった。いつもどこへ消えているのか、その謎が解けるかもしれない。

「イズミちゃん、ちょっと付き合って」

小さく囁《ささや》き、私は足音を忍ばせながら階段を上った。踊り場で上の様子をうかがうと、山岸さんが四階のフロアに出ようとしているところだった。私はイズミちゃんに手招きして、四階までを駆け上がった。

「あの、何です？」

「今のおじいさんがどこに行くか、確認して」

早く、早く、と私に急《せ》かされて、イズミちゃんが廊下に出た。廊下の先をしばらく眺め、私のほうを見た。

「病室に入りましたよ」

私は廊下に出た。山岸さんの背中はなかった。

「どこの病室」

イズミちゃんが歩き出した。

「ここです」

しばらく廊下を歩いて、示されたのは個室だった。

それはずるいだろ、とほとんど口に出して言いかけた。確かに、個室なら、そこの患者さんの許可さえあればいることができる。けれど、かくれんぼには暗黙に了解された範囲というものがあるはずだ。最低条件として、それはオニが探しに行ってもいい場所であるべきだ。

いや、違うのか、と私は思った。最初は確かにかくれんぼだったのだろう。私をからかうために、山岸さんはいなくなっていた。ところが、どこかの時点でこの病室の患者さんと知り合った。そこから先は、ただ知り合いになった患者さんの病室を訪ねていただけだ。かくれんぼはとっくに終わっていた。それに気づかずに、オニだけが一人でかくれんぼを続けていたのだ。

どっと徒労感に襲われ、思わず膝《ひざ》に手をついた。

「大丈夫ですか？」

「ああ、うん。大丈夫」

頷いてから、私は気がついた。

でも、昨夜などは午前一時に山岸さんはいなくなっている。個室とはいえ、ただ知り合いを訪ねるにしては、いくらなんでも遅過ぎる。

私は病室の入り口に掲げられた名前を見た。

『松沢《まつざわ》良子《りょうこ》』

女。

この個室に入っている患者さんは、女性か。

午前一時に男が忍んで女の部屋に行く理由。

「ああ」と思わず声が出た。

「何なんです？」とイズミちゃんが不審そうに私を見た。「用があるなら、入ったらどうですか？」

ノックをしかけたイズミちゃんの手を慌てて抑えた。

「あ、いや、ない。用はない。全然ない」

まだ入っていって間もないのだから、このドアの向こうで、今、教育上よろしくない場面が展開されている可能性は低いと思う。けれど、邪魔をすれば邪魔をしたほうがいたたまれなくなるような場面が展開している可能性は高い。山岸さんは七十四歳だが、松沢良子さんは何歳くらいなのだろう？　フロアが違うので、この患者さんのことは知らなかった。が、老人ホームでも色恋沙汰《ざた》のトラブルは多発すると、介護士をしている知り合いに聞いたことがあった。

「いい。行こう」

「いいんですか？」

「うん。いいの」

イズミちゃんの手を取ったまま、私が廊下を引き返そうとしたときだ。私たちの前のドアが開いた。

「うるさいよ、静かに……」と言ったところで、山岸さんは私服の私に気づいた。「何だ。美佳ちゃんじゃない」

「ああ、はい。どうも」

「ああ、見つかったか」

「すみません。ちょっと見かけちゃって」

「ああ、そう」

そちらさんは、と聞くように山岸さんがイズミちゃんを見た。

「イズミちゃんです。西病棟の入院患者さんで」

「ああ、はあ」と山岸さんが頷き、「どうも」とイズミちゃんが頭を下げた。

「入る？」と山岸さんが言った。

「え？　いや、いいんですか？　じゃなくて、いえ、いいですよ、そんな」

「いいじゃない。入りなよ。入院患者ってのは退屈なんだよ。少し話でもしてってよ」

私たちを迎え入れるように、山岸さんはドアを大きく開けた。ここまでの会話は中にも聞こえているだろうし、だったら強く断ると、変に気を回されたと感じさせてしまうかもしれない。

「それじゃ、ちょっとだけ」

は？　という顔をしたイズミちゃんに、ごめん、という顔をして、私はその個室に入った。仕方なさそうに、イズミちゃんも私のあとからついてきた。

「どうもすいません。うるさくして」

そう言いながら、衝立《ついたて》を回り込み、私は息を呑《の》んだ。

「美佳ちゃんっていってな。ここの看護婦だよ。ああ、今は看護師っていうのか？」

後ろからきた山岸さんがベッドの向こうへ回り込んだ。

「それと美佳ちゃんの友達のイズミちゃん」

山岸さんの言葉に対する返事はなかった。声を出すこともできないようだ。酸素マスクを外そうとする仕草もなかった。ぼんやりと開いた目は天井を見上げている。咄嗟に隣のモニタを確認していた。バイタルサインは安定している。が、どの程度の意識があるのかはわからなかった。
「何で？」
声に振り返った。イズミちゃんが呆然《ぼうぜん》とベッドの上を見ていた。
「嘘。だって、話したよ。私、この人と」
「そうなの？」
「私、覚えてるよね？　わかりますか？」
イズミちゃんがベッドに取りつき、彼女の顔の前に自分の顔を突き出した。山岸さん
が私に目くばせを寄越《よこ》した。
「イズミちゃん、あんまり大声は……」
「だって、話したの。話したんです。入院して、しばらくして、少し歩けるようになっ
たとき。この人から声をかけてくれて。そのときは、元気ってことはなかったけど、病
院にいるぐらいだから元気ってことはなかったけど、でも……」
一週間前の話か、十日前の話か。ついこの前、自分と語り合った相手が、今は力ない
肉体としてベッドに横たわっている。看護師の私には日常の一コマだが、まだ中学生の
イズミちゃんには受け入れがたいことなのだろう。
「行こう」と私はイズミちゃんの肩を抱いた。

「え？　でも、この人、治らないんですか？　このまま、死んじゃうんですか？」

「イズミちゃん」と私は少し強く言った。「行こう。ね？」

私が肩を抱きながら連れて行こうとしたときだ。ぐっとイズミちゃんの体が固まった。私はイズミちゃんの顔を見た。イズミちゃんが怯《おび》えたように下を見ていた。イズミちゃんの目線を追った。ベッドに横たわった彼女が、イズミちゃんの手首をつかんでいた。

「ああ、大丈夫だ。わかってる、わかってるよ」

山岸さんがそう言って手を伸ばし、イズミちゃんの手首から彼女の手を離した。山岸さんと視線を交わしてから、私はイズミちゃんを病室の外に連れ出した。イズミちゃんは廊下の壁に寄りかかり、目を覆うように顔に手を当てていた。やがて山岸さんが病室から出てきた。

「ごめんなさい」と私は言った。

「こっちこそ、悪かったな」

山岸さんは私に言い、イズミちゃんに聞いた。

「お嬢ちゃんは、大丈夫かい？」

イズミちゃんが大きく二回頷いた。

「外に出よう」と私はイズミちゃんに言った。「少し外の空気を吸ったほうがいい」

「いえ、もう」とイズミちゃんが私を見た。

「そうしたほうがいい」と私は言った。「ここは看護師の言うことを聞いておきなさい」

私が歩き出すと、イズミちゃんはついてきた。振り返り、どうしますか、と目線で聞くと、山岸さんは一つ頷いて、私たちと一緒に歩き出した。

エレベーターの前で迷ったが、上のボタンを押した。外来受付が始まっている時間だ。中庭にも人が出ているだろう。私たちはエレベーターで五階まで上がり、そこから階段を上って屋上へと出た。

屋上は開放されているのだが、外来患者にはあまり知られていない。昼過ぎになると日光浴をしにくる入院患者がちらほらいるが、まだ早いこの時間には誰もいなかった。いい天気だった。夜勤明けの目に、太陽が眩《まぶ》しかった。

私たちは手すりまで歩き、そこから景色を眺めた。町はウォーミングアップを終えて、本格的に今日の活動を開始していた。運送屋さんが荷物を運んでいた。中年の女性がバス停でバスを待っていた。歩道を歩く背広の二人は、コンビを組んでいる営業マンだろうか。

「さっきの、あの人」

真ん中に立ったイズミちゃんが山岸さんに言った。

「松沢さんですっけ。何の病気ですか?」

「消化器からこっちに癌が転移したらしくてよ」

町に背を向けて手すりに体を預け、山岸さんは自分の頭を指先でこんこんと叩いた。

「普通に喋れるときは喋れるんだけど、ああいうときもあるんだ。もっとひどいときもあるし」

「そうなんですか」とイズミちゃんは呟いた。

「イズミちゃんは？」と私も手すりに寄りかかって、聞いた。「松沢さんと話したことあるって言ってたけど」

「ああ、はい」とイズミちゃんは頷いた。「入院して、しばらくしたころです。ようやく歩けるようになって、私、下のコンビニに行くつもりで、それが歩きながら色んなことを考えてたら、急に、ちょっと」

「ちょっと？」

「あの、涙が出てきちゃって」

「ああ、うん」

「だから、慌てて近くのトイレに入って、トイレの個室で泣いてたんです。声が出ないように、こうパジャマの袖《そで》を噛《か》んで。そうしたら隣の個室から話しかけられたんです。ねえ、あなた、こういう話、知ってるって。突然だから、私、驚いて。返事もせずに黙ってたんです。そうしたら、一人で喋り出して。この病院には、死を前にした人の願い事を、一つだけかなえてくれる人がいる。その人は、死を前にした患者さんの病室に必ず現れるんだって」

あなた、まだ会っていないでしょう？　だったら、まだ大丈夫よ。まだ死なないから。

「そう言ったんです」

だからね、私も大丈夫なの。私もまだ会ってないから。

「本当にうれしそうな声でした。ああ、そうなんですか、って、私、それだけ言って、顔を合わせるのが嫌だったので、その人が出ていくのを待ちました。その人がトイレを出ていく気配がして、しばらくして、私がトイレを出たら、あの人、松沢さんがトイレを出たところで待ってたんです」

嘘だと思う？　でも、本当よ。

「そう微笑《ほほえ》んで、歩いて行っちゃいました。私を慰めたんじゃなくて、本当にその話を信じてるんだなって、そう思いました。そんな人いないと思ったけど、もちろん、いるわけないって思ったけど、でも、もし本当にいたらいいなって、ふっと思ったんです。だから、もし、願い事をかなえてもらえたら死んでいいって、私がそう決めたら、私も死を前にした患者ってことになるんじゃないかなって。自殺するって約束するから、誰かが願い事をかなえてくれないかなって」

「ああ」と私はため息をついた。

　あのとき、彼女はそんなことを考えていたのか。

「みんなの頭から自分の記憶を消して欲しいって、そう言ったよね？」

　聞いた私をちらっと見て、イズミちゃんも体を反転させた。私たちは三人並んで手すりに寄りかかった。

「好きな人がいたんです。同級生の男の子」

「ああ、うん」

「すっごく好きだったから、わかったんです。彼が好きな女の子は誰なのか。私と同じクラスの子でした。だから、私、その子と仲良くなりました。無理やり仲良くなって、親友だよねって言って、だから話すねって病気のことを話して、誰にも言わないでって念を押してからその男の子が好きだってことを話しました」

「そう」と私は頷いた。

「あの日、その子がお見舞いにきてくれたんです。その男の子を連れて。ううん。もっといっぱい連れてきてくれたんだけど、その男の子を連れてくるために、みんなを連れてきたんだっていうのはすぐわかりました。あの面会室で、みんなでお喋りして、やっぱりなって思ったんです。やっぱり彼は彼女を好きで、それでたぶん、彼女も彼を好きだって。そう思ったら」

　もう消えてなくなりたかった、とイズミちゃんは呟いた。

「情けなくて、自分が嫌になっちゃって。私がいたこと、言ったこと、したこと、全部なしにしたいなって」

「馬鹿なこと言うなよ」

それまで黙っていた山岸さんが口を開いた。怒ってる口調でも、いさめている口調でもなかった。いつもの山岸さんらしくない歯切れの悪さだった。

「そうですよね」とイズミちゃんが頷いた。「自殺なんて、もちろん本気じゃなかったけど、でも、馬鹿みたいでした。あの人に、松沢さんに申し訳ない」

「今は、素直に聞けないだろうけど」と私は言った。「それって、結構、素敵な恋の思い出よ。中学時代の恋の思い出にしては、かなり上等な部類だと思う。もう少し時間が経てばわかる」

「そうですか?」

「そうだよ」と私はイズミちゃんに笑い、山岸さんに聞いた。「山岸さんは、松沢さんとは?」

「ああ、検査を待っているときに何度か顔を合わせてな。たまたま同じ年だってわかってさ、それで口をきくようになって。でも、そのたびにあんまりネガティブなことを言うもんだからさ、つい、な」

「は?」と私は言った。「ついって、何です?」

「その、さっきの話」

もごもごと言いにくそうに、山岸さんは言った。

「さっきの？」

「あれ、実は俺が別の病院で聞いた話でさ」

「ネタ元は山岸さんなんですか？」

「俺、オペはこの病院だったけど、最初に見つかったのが別の病院でな。人生初めての癌だったから、深く落ち込んでたらさ。声をかけられたんだよ」

「その病院の患者さんに？」

「いや、その病院の掃除のおばちゃん、っていうか、婆《ばあ》さんだな。俺よりいくつか上だろうからな。全然、話好きそうな感じじゃないんだ。いかにも無愛想な婆さんがよ、宣告を受けて、病院のベンチで落ち込んでいた俺に、おもむろに言ったんだよ。あんた、暗い顔してるけど、仕事人にでも会ったのかいって」

「仕事人？」

「必殺仕事人伝説ってな。その病院ではそう呼ばれてたらしいんだよ、その婆さんによればさ。死を前にした患者の病室に、深夜、忽然《こつぜん》と現れる黒衣の男。それが必殺仕事人。願い事を必ず一つかなえてくれるけれど、その患者は必ず死んでしまうって」

いい話か悪い話かさえよくわからない話だった。

「それは、怪談なんですか？　それともファンタジー？」

「いや、何かわかんねえよ。何かわかんねえけどさ、いかにも無愛想な婆さんが、とつとつと不器用に喋るわけだよ、その話を。仕事人に会ったならもう助からないけど、会ってないならそんなに落ち込むことはないだろって。何か、俺、それだけで胸を打たれちゃってさ。ああ、励まそうとしてくれてんだなって。俺は元気が出たんだよ。だから、あの人も元気出るかなって。で、まあ、そのまま話をこの病院てことにして」

「ああ、なるほど」と私は言った。

「元気、出てましたよ」とイズミちゃんが言った。「松沢さん、すごく励まされてたと思います」

「そうだろ？　元気出させちゃった責任もあるからさ、まあ、ちょこちょこと様子を見にね」

「深夜の一時にも？」

「怖いんだってさ、夜は」と山岸さんは言った。「そのまま夜に連れ去られそうで、怖いって」

「ああ」と私は頷いた。「担当のナースに伝えます。私も注意してみます」

「ああ、頼むよ。俺、そろそろ退院しなくちゃいけないみたいだから。見舞いにはこられても、深夜に忍び込むわけにも……」

言いかけた山岸さんがちょっと考えるような顔になったので、私は慌てて言った。

「いかないですよ。いかないです。忍び込んじゃ駄目」

「ああ、そう？」

「普通に、面会手続きを取ってきてください。そうすれば、どうとでもしますから」

山岸さんがにやりと笑った。

「さすが美佳ちゃん。話がわかるね。俺が惚《ほ》れただけのことはある」

「松沢さんのご家族とも話してみます」

「ああ、そうだね。俺にできることがありそうなら、言ってみて。アカの他人って言われりゃそれまでだけどさ。袖すり合うもってなもんさ」

「わかりました」

「何か、すごいですよね」

左右にいる私と山岸さんを見比べながらイズミちゃんが言った。

「人ってつながってるんですね」

「ああ、うん。そういう教育テレビ的感想を直球で言われても、ほれ、美佳ちゃん」

「ああ、うん。すごいよね」と私は頷いた。

山岸さんが聞いた話を、松沢さんに伝え、その話がさらにイズミちゃんに伝わり、イズミちゃんが私に喋った。それがなければ、今、ここに三人はいない。

ああ、いや、と私は思い出した。

あのとき、退院していく二人を見なければ、私はイズミちゃんのもとを訪ねなかった。そこからつながっているのか。だとするならこの場は、ずいぶん昔からつながっていることになる。

「そうだね。すごいと思うよ」と私は言った。「本当にすごい」

「何だよ、やけに楽しそうだな」と山岸さんが言った。

「何だか、やけに楽しくないですか?」と私は聞き返し、イズミちゃんにも聞いた。「ね、楽しくない?」

「変ですよ、美佳さん」とイズミちゃんが笑った。

「そうかな」と私も笑った。

行こうか、と促すように山岸さんが首を振り、私たちは階段へ続くドアへと歩き出した。山岸さんとイズミちゃんに続いてドアをくぐりかけてから、私はふと屋上を振り返った。そして、つい先ほど退院していった中学の同級生の二人を思い出した。

中学二年のときだった。私は一人の男の子からラブレターをもらった。前からちょっと気になっていた男の子だった。けれど、その男の子は別な子を好きなのだろうと思っていた。だから、彼から手紙をもらったことは、うれしい以上に驚きだった。手紙を読んでみて、私は困惑した。

『毎日、あなたのことを思いながら射精しています』

手紙にはそう書いてあったのだ。

変態だったの？

そう思ってから気がついた。その字は彼の筆跡ではなかった。彼は誰かにラブレターを代筆してもらったのだ。

誰に？

どう考えても、彼が相談しそうな相手は一人しかいなかった。そしてこんなことを書いて寄越しそうな人も。彼の幼馴染《おさなな じ》みの女の子。彼と同じ商店街に住んでいる女の子。彼が好きだと、私が思っていたその女の子。

私は彼を呼び出し、手紙を突き返した。

「ちょっと上級者用すぎるみたい」と私は言った。「このわかりやすさは嫌いじゃないけど、変態とわかって変態と付き合えるほど、私も場数を踏んでないから」

そこで初めて、彼は手紙の内容を知ったようだ。もちろん、そうだろう。この手紙の内容を知っていて出せるほど、彼は大胆でも無神経でもない。

彼は慌てふためきながら、私に謝った。

けれど、私にはわかった。彼は本当は喜んでいた。喜んでいることに、本人が気づいていないのが、その男の子のややこしいところだ。私に振られるに決まっているような手紙を彼女が書いたことを彼は喜んでいた。

けれどそれは間違っている、と私は思った。

彼女は彼が私に振られるようにそんな手紙を書いたんじゃない。本当に彼の思いが実るように、考えて、考えて手紙を書いたのだ。その手紙がこんな風になってしまったのは、ただ彼女の感性がどこかずれているからというそれだけの理由だ。

それから一年以上が経った、中学を卒業する間際のことだ。放課後、そんな遅い時間にまで学校に残っていた理由を覚えていない。ただ、その日、私は目撃した。ひと気のない学校で、一人の女の子が、先生に襲われそうになっているところを。私は階段の踊り場にいた。二人はその下の廊下にいた。私はその場に固まって動けなかった。そこにいるのは私の知っている先生ではなかった。そこでふるわれようとしているのは私の知っている暴力ではなかった。そこにいるのは一匹のオスであり、そこでふるわれようとしているのはもっと禍々《まがまが》しいものだった。助けようと思ったのに、足が動かなかった。悲鳴を上げてあげることさえできなかった。階段まで逃げてきた女の子を先生が押し倒した。何かをしようと思ったわけではなく、衝動のままに彼女を自分の支配下に置きたかったのだろう。倒れた彼女に、先生がのしかかった。あっと思った次の瞬間だった。先生の体は宙に浮いていた。彼女の体を飛び越えた先生の体は、そのまま階段を真っ逆さまに落ちていった。どさりと体が落ちる音がした。やがて女の子が立ち上がった。しばらく呆然と階段の下を眺め、それから階段の上にいる私に気づいた。

「巴投《ともえな》げ」と彼女は言った。

「ああ、うん」と私は頷いた。「死んだ？」

「いや、どうかな」

私は階段を下りて、彼女の隣に立った。階段の踊り場に倒れたまま、先生はしばらく動かずにいたが、やがて、ううん、とうなり始めた。

「他の先生を」と、ようやく我に返って私は言った。「それとも、警察？　先に警察を呼んじゃおうか。不祥事だから、学校にもみ消されちゃうかもしれない。警察を呼ぼうよ。私、証言するよ」

「ありがとう。でも黙ってて」

うごめき出した先生を冷徹に見つめながら、彼女は言った。

「え？」

「このこと、黙ってて。誰にも言わないで」

「だって……」

「お願い」

彼女は真っ直ぐに私を見て、言った。その強い視線に、私は頷くしかなかった。

その後、彼女はしばらく学校を休んだ。事件は、彼女が何かに腹を立ててその先生を階段から突き飛ばした、ということになっていた。ひどい処分がされそうなら、彼女の意にそぐわなくても声を上げるつもりだったが、その先生自身が穏便に事を運ぼうとしたのだろう。結局、保護者に注意がいった程度で、うやむやに済まされた。

彼女が学校を休んでいる間、彼は事情を知ろうとして、色々な人に事件のことを聞き回っていた。私も聞かれた。

あの日、放課後、学校に残ってたって聞いたけど、何か知らない？　何か見なかった？爪を立てて引っかいて顔中にみみずばれを作ってやりたかった。彼女が沈黙を守っているのは、彼に知られたくないからだ。そう思った。あの先生が女としての彼女に襲いかかったことを、彼には知られたくなかったのだ。彼はまだそれほどには男ではないから。残念ながらまだ男の子だから。だから、彼女は自分が悪者になってまで、沈黙を守ろうとしている。

まったく、もう、と私は思った。何なんだ、この二人は、と。

中学を卒業し、私立の女子高校に進んだあとも、私はたまに二人が住む商店街を訪れていた。彼女と会うこともあったし、彼と会うこともあった。けれど、二人が付き合い出した気配だけは一向になかった。私は相当に苛々《いらいら》していた。高校を卒業するころ、彼女の両親が亡くなった。そのとき、彼がどう振舞ったのか、私は知らない。大学に進んでからは私も忙しくなり、商店街に足を向けることもなくなっていた。

その二人が、今朝、肩を並べて病院を出ていった。

二人の様子を思い出して、私は笑った。いや、二人じゃない。三人、か。私に気づかなかったのも無理はない。二人とも、彼女の腕の中に眠るその子に完全に注意が向いていた。どちらに似ていたのだろう。ちょっと見てみたい気もしたが、そうしなかった。幼いころから一緒だった二人が、今、三人になって、外へ出ようとしている。素直なくせにひねくれている二人のことだ。一筋縄で結ばれたわけがない。そうなるまでには、面倒臭くて、ややこしくて、難しい時間がいくらでもあったはずだ。そのすべてを飲み込んで、踏み出していく一歩を、だったら、誰も引き止めるべきではない。

どうせあの商店街へ行けば、いつでも会えるのだろう。仮に二人がそこにいなくても、二人の居場所を知る人なら、きっといくらでも見つかるはずだ。

自動ドアを抜けて、まばゆい光の中に歩いていく二人を、だから私は黙って見送った。

振り返った屋上に、同じ光が降り注いでいた。

「やっぱりすごい」

空を見上げて、私は呟いた。誰かをただ無性に好きになりたかった。

恋したいな。

晴れた空に向かって、私はしばらくぶりにそんなことを考えていた。

この作品は集英社文庫のために書き下ろされたものです。

「ACT.1　言えない言葉　～ the words in a capsule」のみ、

「小説すばる」二〇一三年八月号に先行掲載されました。

集英社文庫

MEMORY《メモリー》

2013年9月25日　第1刷　　定価はカバーに表示してあります。

著　者　本多孝好《ほんだたかよし》
発行者　加藤　潤
発行所　株式会社　集英社
東京都千代田区一ツ橋2-5-10　〒101-8050
電話　03-3230-6095（編集部）
03-3230-6393（販売部）
03-3230-6080（読者係）
印　刷　凸版印刷株式会社
製　本　凸版印刷株式会社

フォーマットデザイン　アリヤマデザインストア　　マークデザイン　居山浩二

ISBN978-4-08-745112-2 C0193